Teste Dei

Stufe 2

Ein Testbuch für Fortgeschrittene

Von
Dr. Marianne Zingel

Langenscheidt

Berlin · München · Wien · Zürich · New York

Weitere Bände dieser Reihe:

Teste Dein Deutsch!
Stufe 1: Testbuch für Anfänger
(Best.-Nr. 38525)

Teste Dein Wirtschaftsdeutsch!
(Best.-Nr. 38527)

| Auflage: | 10. | 9. | 8. | Letzte Zahlen |
| Jahr: | 1994 | 93 | | maßgeblich |

© 1981 by Langenscheidt KG, Berlin und München
Zeichnungen: Gerhard Wawra
Umschlagentwurf: grafik-dienst A. Wehner
Druck: Presse-Druck, Augsburg
Printed in Germany · ISBN 3-468-38526-9

Inhalt

Zur Einführung

Alle Anfänger und viele Fortgeschrittene machen Fehler, die ihre deutschsprechenden Partner als merkwürdig, komisch oder peinlich empfinden. Sie gebrauchen das falsche Wort, die falsche Wendung, eine falsche grammatische Form oder eine unkorrekte Aussprache. Mit TESTE DEIN DEUTSCH! bekommt der Deutschlernende solche Dinge in den Griff. Seine Deutschkenntnisse werden durch Abtesten systematisch aufgebaut.

Das Testprinzip dieses Buches ist das „Multiple-choice-Verfahren", d. h. nach jeder in Deutsch gestellten Frage werden dem Lernenden 5 Antworten zur Auswahl angeboten, von denen er eine als die richtige Lösung kennzeichnen muß. Durch Umblättern zu den „Antworten" kann er sich dann selbst kontrollieren; er findet dort auch die Begründung für die richtige Lösung sowie weitere Erläuterungen zum Fragenkomplex.

Diese Methode unterscheidet sich von den herkömmlichen Lernformen. Sie ist anregend, oft amüsant. Die Kürze der Lerneinheit – die Frage – ermöglicht ein zwangloses Arbeiten auch unterwegs oder wenn wenig Zeit zur Verfügung steht.

Trotzdem basiert die Methode auf modernen linguistischen Erkenntnissen. Autorin des vorliegenden Buches ist Dr. Marianne Zingel. Als Dozentin am Goethe-Institut kennt sie aus langjähriger Lehrerfahrung die Fallen, die die deutsche Sprache dem Lernenden stellt.

TESTE DEIN DEUTSCH! umfaßt zwei Bände, die nach Schwierigkeitsstufen gegliedert sind:

Stufe 1 – ein Testbuch für Anfänger
Stufe 2 – ein Testbuch für Fortgeschrittene

Wenn Sie nur geringe Deutschkenntnisse haben, beginnen Sie mit dem Band der Stufe 1. Stufe 2 ist für denjenigen gedacht, der schon einige Jahre Deutsch gelernt hat.

So arbeiten Sie mit diesem Buch

● Nach dem Lesen jeder Frage prüfen Sie bitte sorgfältig, welche der nachgestellten 5 Antworten (a–e) die richtige Lösung darstellt.

● Wenn Sie die richtige Antwort gefunden haben, schreiben Sie den entsprechenden Buchstaben (a, b, c, d, e) in das Kästchen am Rand.

● Haben Sie einen Test durchgearbeitet, so schlagen Sie die „Antworten" auf. Prüfen Sie jetzt, ob Ihre Antworten richtig waren, und studieren Sie die Erläuterungen zu den Fragenkomplexen.

● Ermitteln Sie die Anzahl Ihrer richtigen Antworten und tragen Sie das Ergebnis in das Kästchen für den betreffenden Test auf der Seite „Ihr Testergebnis" ein.

● Auf den Seiten „Wie geht es weiter?" am Ende von Teil A und B werden Ihre Testergebnisse ausgewertet und danach die Weichen für Ihre weitere Arbeit gestellt.

TEIL A

Test 1

1 Das Gegenteil von *einschlafen* ist:
   a) ausschlafen
   b) wecken
   c) aufwecken
   d) verschlafen
   e) aufwachen

2 Wer aus meinem Land kommt, ist mein . . .
   a) Landmann
   b) Landsmann
   c) Staatsmann
   d) Ländler
   e) Landser

3 Welche Pluralform ist falsch?
   a) Mechanismus – Mechanismen
   b) Museum – Museen
   c) Visum – Viseen
   d) Kaktus – Kakteen
   e) Individuum – Individuen

4 Welcher Satz ist richtig?
   a) Plötzlich es ganz dunkel wurde.
   b) Es ganz dunkel wurde plötzlich.
   c) Es plötzlich ganz dunkel wurde.
   d) Plötzlich es wurde ganz dunkel.
   e) Es wurde plötzlich ganz dunkel.

5 Das ist . . .
   a) ein Stößel
   b) ein Stoßfänger
   c) eine Stoßstange
   d) ein Stoßgebet
   e) ein Stoßdämpfer

6 Haben denn die Tageszeitungen diese
   Nachricht nicht . . .?
   a) vorgezeigt
   b) eröffnet
   c) vorgestellt
   d) offenbart
   e) veröffentlicht

7 Diese schrecklich hohen Töne gehen mir
   durch . . .
   a) Haut und Knochen
   b) Kopf und Kragen
   c) Mark und Pfennig
   d) Hand und Fuß
   e) Mark und Bein

8 Habt ihr . . . Aufenthaltserlaubnis schon
  beantragt?
    a) Ihre
    b) euer
    c) ihre
    d) eure
    e) euch

9 Was ist richtig?
    a) Er kommt morgen früh um 7 Uhr.
    b) Er kommt früh morgen um 7 Uhr.
    c) Er kommt Morgen früh um 7 Uhr.
    d) Er kommt morgen Früh um 7 Uhr.
    e) Er kommt früh Morgen um 7 Uhr.

10 Wenn sie das hört, wird sie vor Freude . . .
    a) unter die Decke kriechen
    b) sich nach der Decke strecken
    c) bis an die Decke springen
    d) unter einer Decke stecken
    e) meinen, die Decke fiele ihr auf den
       Kopf

11 Bei der Firma brauchst du dich gar nicht zu
   bewerben. Die nehmen nur Leute mit . . .
   Ausbildung.
    a) abgeschlossen
    b) geschlossener
    c) abschließender
    d) abschließend
    e) abgeschlossener

12 Das Klima hier macht mir sehr zu schaffen.
Ich kann mich gar nicht . . . gewöhnen.
   a) an
   b) an es
   c) daran
   d) das
   e) an es

13 Wenn ich . . ., wie schwer diese Arbeit ist,
hätte ich sie nicht übernommen.
   a) gewußt hätte
   b) wüßte
   c) wisse
   d) gewußt habe
   e) wußte

14 Das ist . . .
   a) ein Locher
   b) eine Schüssel
   c) eine Schale
   d) ein Topf
   e) ein Sieb

15 Eine Aufforderung ist nicht richtig:
   a) Kommen Sie bitte hierher!
   b) Gehen Sie bitte dort!
   c) Kommen Sie mal nach vorn!
   d) Gehen Sie dort hinüber!
   e) Kommen Sie zu mir!

Test 2

1 Wenn ein Kind sagt: ,,Guck mal, eine
   Mieze!'' meint es . . .
   a) einen Hund
   b) ein Kaninchen
   c) eine Ziege
   d) einen Kanarienvogel
   e) eine Katze

2 Das Auto fährt nicht mehr; es muß . . .
   werden.
   a) abgezogen
   b) abgeschleppt
   c) weggezerrt
   d) fortgetrieben
   e) aufgezogen

3 Welche Satzstellung ist korrekt?
   a) Ich möchte wissen, wo es gibt
      solche schönen Äpfel.
   b) Ich möchte, wo es gibt solche
      schönen Äpfel, wissen.
   c) Ich möchte wissen, wo es solche
      schönen Äpfel gibt.
   d) Ich möchte, wo gibt es solche
      schönen Äpfel, wissen.
   e) Ich möchte wissen, wo solche
      schönen Äpfel es gibt.

4 Wer unter 18 ist, ist *minderjährig*. Wer über
18 ist, ist . . .
   a) hochjährig
   b) vieljährig
   c) mehrjährig
   d) volljährig
   e) ganzjährig

5 Er hat einen Atlas, aber ich habe zwei . . .
   a) Atlas
   b) Atlässe
   c) Atlanten
   d) Atlässer
   e) Atlassen

6 Die fettgedruckten Überschriften in den
Zeitungen heißen . . .
   a) Schlagzeilen
   b) Hauptzeilen
   c) Kopfzeilen
   d) Hauptlinien
   e) Schlaglinien

7 Was ist falsch?
   a) Ich erschrecke immer, wenn du so
      mit den Türen knallst.
   b) Er erschrak, als er ihr wütendes
      Gesicht sah.
   c) Wir waren sehr erschrocken, als
      wir die Nachricht hörten.
   d) Man erschrickt immer wieder,
      wenn man die Unfallstatistiken
      sieht.
   e) Du brauchst nicht zu erschrecken,
      mir ist nichts passiert.

8 Was kann man nicht vom Wetter sagen? –
   Es ist . . .
   a) regnerisch
   b) unfreundlich
   c) wechselhaft
   d) gekühlt
   e) naßkalt

9 Lassen Sie die Koffer ruhig hier stehen. Ich
   bringe . . . Gepäck sofort nach oben.
   a) Ihres
   b) Ihr
   c) Ihnen
   d) Ihre
   e) von Ihnen

10 Wenn uns jemand erklärt, warum er nicht
ins Konzert gegangen ist, kann er alle diese
Sätze bis auf einen benutzen:
   a) Ich bin gestern nicht ins Konzert
      gegangen, weil ich Kopfschmerzen
      hatte.
   b) Da ich Kopfschmerzen hatte, ging
      ich nicht ins Konzert.
   c) Wegen meiner Kopfschmerzen bin
      ich nicht ins Konzert gegangen.
   d) Ich ging nicht ins Konzert, deshalb
      hatte ich Kopfschmerzen.
   e) Ich ging nicht ins Konzert, denn ich
      hatte Kopfschmerzen.

11 Was tun die Bienen?
   a) Sie brummen.   d) Sie surren.
   b) Sie knurren.   e) Sie gurren.
   c) Sie summen.

12 Im Märchen vom Schneewittchen rief die
Königin: ,,Spieglein, Spieglein an der
Wand, wer ist die . . . im ganzen Land?''
   a) Reichste   d) Jüngste
   b) Klügste   e) Schönste
   c) Größte

13 Welcher Satz ist falsch?
   a) Er versprach ihr baldige Hilfe.
   b) Er versprach, daß er ihr bald helfen wurde.
   c) Er versprach, ihr bald zu helfen.
   d) Er versprach ihr: ,,Bald werde ich
      dir helfen!''
   e) Er versprach, er werde ihr bald
      helfen.

14 Was trägt man nicht an den Füßen?
   a) Schuhe
   b) Gürtel
   c) Strümpfe
   d) Stiefel
   e) Socken

15 Meine Freundin hat 1 kg abgenommen,
   aber ich habe leider 2 kg . . .
   a) zugenommen
   b) eingenommen
   c) aufgenommen
   d) angenommen
   e) vorgenommen

Test 3

1 Ich zahle weniger für meine
   Autoversicherung, weil ich schon 5 Jahre
   lang . . . gefahren bin.
   a) unschädlich
   b) unbeschädigt
   c) schadlos
   d) unbeschadet
   e) schadenfrei

2 . . . Schreck ließ sie das Tablett fallen.
   a) Aus
   b) Von
   c) Vor
   d) Wegen
   e) Durch

3 Wenn das Licht beim Einschalten nur
  einmal aufblitzt und es dann dunkel wird,
  sagt man: Es hat . . . gegeben.
   a) einen Kurzschluß
   b) eine Kürzung
   c) ein Kürzel
   d) eine Kurzschließung
   e) einen Kurzschlüssel

4 Welches Wort ist am schwächsten?
   a) ärgerlich
   b) zornig
   c) verstimmt
   d) wütend
   e) empört

5 Was kann man nicht sagen?
   a) Er war unfähig, sich klar
      auszudrücken.
   b) Er war unmöglich, sich klar
      auszudrücken
   c) Er war nicht imstande, sich klar
      auszudrücken.
   d) Er war außerstande, sich klar
      auszudrücken.
   e) Es gelang ihm nicht, sich klar
      auszudrücken.

6 Das ist . . .
   a) eine Wiege
   b) eine Waage
   c) ein Wagen
   d) ein Wagnis
   e) ein Gewicht

7 Dieser Unfall . . . sicher nicht passiert, wenn
   du besser aufgepaßt hättest!
   a) hätte
   b) ist
   c) würde
   d) wäre
   e) könnte

8 Was ist falsch?
   a) Er hörte stundenlang zu dem
      Radio.
   b) Welche Sender hören Sie am
      liebsten?
   c) Die Reportagen im 3. Programm
      höre ich mir gern an.
   d) Den ganzen Tag läuft das Radio,
      doch keiner hört zu.
   e) Er hörte das Tonband ab, das er
      eben überspielt hatte.

9 Das ist . . .
   a) eine Notenbank
   b) ein Notenaustausch
   c) ein Notstand
   d) eine Notenpresse
   e) ein Notenständer

10 Er . . . seine Freundinnen öfter als seine Hemden.
   a) tauscht
   b) ändert
   c) wechselt
   d) verändert
   e) verwechselt

11 ,,Kennst du ihn schon lange?" – ,,Nein, . . . seit zwei Tagen."
   a) erst
   b) noch
   c) schon
   d) nur noch
   e) noch nicht

12 Vergessen Sie bei Ihrer Post nie den . . . und die Postleitzahl!
   a) Sender
   b) Abgesandten
   c) Expediteur
   d) Schicker
   e) Absender

13 Schieb die Arbeit nicht so vor dir her! Denk
   daran:
   a) Desto früher du anfängst, je eher
      bist du fertig!
   b) Um so früher du anfängst, je eher
      bist du fertig!
   c) Je du früher anfängst, je du eher
      fertig bist!
   d) Je früher du anfängst, um so eher
      du fertig bist!
   e) Je früher du anfängst, desto eher
      bist du fertig!

14 Welches Tier *wiehert?*
   a) eine Katze
   b) ein Pferd
   c) ein Hund
   d) ein Schwein
   e) ein Hahn

15 „Ich werde ihm mal auf den Zahn fühlen"
   heißt, ich werde . . .
   a) seine Zähne untersuchen
   b) prüfen, was er von einer Sache
      weiß
   c) ihm einen schmerzenden Zahn
      ziehen
   d) mit ihm streiten
   e) versuchen, ihn kennenzulernen

Test 4

1 Sieh mal, wie schön! Die erste Rose ist
heute . . .
   a) geblüht
   b) geblümt
   c) ausgeblüht
   d) verblümt
   e) aufgeblüht

2 Welches Wort paßt nicht in die Reihe?
   a) Flöte
   b) Bratsche
   c) Oboe
   d) Fagott
   e) Klarinette

3 Alle diese Wörter reimen sich, aber eines
davon schreibt man nicht mit *tz*:
   a) Spritze
   b) Skitze
   c) Witze
   d) Blitze
   e) Spitze

4 Was sagt man nicht?
   a) die Brille Mutters
   b) die Werke Gottes
   c) die Wirtschaft Frankreichs
   d) die Besucher Münchens
   e) die Söhne Bachs

5 Was ist falsch? „Hoffentlich gelingt . . .''
   a) der Fotograf
   b) der Schnappschuß
   c) die Aufnahme
   d) das Bild
   e) das Foto

6 Du solltest dir alles aufschreiben, was du
   für die Reise noch . . .
   a) mußt vorbereiten
   b) hast vorzubereiten
   c) hast zu vorbereiten
   d) vorzubereiten mußt
   e) vorzubereiten hast

7 Wissen Sie, wann es nicht *wissen* heißt?
   a) Als Mutter wissen Sie dieses
      Problem doch sicher auch.
   b) Ich weiß mir keinen Rat mehr.
   c) Wissen Sie, wo Herr Seipel ist?
   d) Soviel ich weiß, hat er heute frei.
   e) Renate weiß sich in jeder Situation
      zu helfen.

8 Das ist . . .
   a) ein Suppenlöffel
   b) eine Kelle
   c) ein Füller
   d) ein Eimer
   e) ein Sieb

9 Nur eines dieser Nomen ist nicht von einem
   Verb abgeleitet. Welches?
   a) Übung
   b) Beschäftigung
   c) Zeitung
   d) Rechnung
   e) Zeichnung

10 Das Gegenteil von *schädlich* ist:
   a) nutzbar
   b) nutzvoll
   c) nutzlos
   d) nützlich
   e) benützt

11 Wo steckt der Fehler? – ,,Was ist nur mit
   meinem Freund los?''
   a) Er begrüßt mich nicht.
   b) Er beachtet mich nicht.
   c) Er fragt mich nichts.
   d) Er antwortet mich nicht.
   e) Er versteht mich nicht.

12 Welcher Satz bedeutet, daß man jemandem Glück wünscht?
   a) Ich drücke die Daumen.
   b) Ich halte die Ohren steif.
   c) Ich rümpfe die Nase.
   d) Ich drücke ein Auge zu.
   e) Ich falte die Hände.

13 Das Auto hält vor . . .
   a) der Garage
   b) der Tankstelle
   c) der Werkstatt
   d) dem Tanker
   e) der Gasanstalt

14 Was kann man nicht sagen?
   a) Dieser Film ist spannend.
   b) Das Kind ist reizend.
   c) Ihr Angebot ist verlockend.
   d) Die Hitze ist drückend.
   e) Das Kind ist spielend.

15 Die Mutter . . . das Kind aus dem Wagen
und nahm es auf den Arm.
a) hieb
b) hebte
c) hub
d) hab
e) hob

Test 5

1 Die Schmerzen sind furchtbar, Herr Doktor!
Ich kann sie nicht mehr . . .
a) anhalten
b) aushalten
c) abhalten
d) erhalten
e) behalten

2 Alle diese Verben bedeuten *gehen*. Welches
bezeichnet die schwerfälligste Gangart?
a) wandern
b) marschieren
c) trotten
d) laufen
e) wandeln

3 Was macht das Schaf?
   a) Es bellt.
   b) Es blökt.
   c) Es wiehert.
   d) Es brüllt.
   e) Es heult.

4 Ausländer, ... Aufenthaltserlaubnis
   abgelaufen ist, müssen sich sofort um eine
   Verlängerung bemühen.
   a) wenn   d) deren
   b) die die   e) denen
   c) ob

5 Was ist falsch?
   a) Er wird von seinen Landsleuten
      gefeiert.
   b) Er wird von allen Reportern
      interviewt.
   c) Er wird gratuliert.
   d) Er wird um Autogramme gebeten.
   e) Er wird bewundert.

6 Welcher Satz ist richtig?
   a) So war ein großer Teil der
      Vorarbeiten nutzlos geworden.
   b) So waren ein großer Teil der
      Vorarbeiten nutzlos geworden.
   c) So war einen großen Teil der
      Vorarbeiten nutzlos geworden.
   d) So, ein großer Teil der Vorarbeiten
      war nutzlos geworden.
   e) So ein großer Teil der Vorarbeiten
      nutzlos geworden war.

7 Warum hast du denn Angst vor der Spinne?
Die ist doch . . .
a) gefahrlos
b) unschädlich
c) schadlos
d) schadhaft
e) harmlos

8 Sie sitzt in einem . . .
a) Schaukelstuhl
b) Wippstuhl
c) Liegestuhl
d) Wackelstuhl
e) Zappelstuhl

9 Welche Pluralform ist falsch? – In unserer
Reisegruppe gibt es . . .
a) Studenten
b) Kaufmänner
c) Ärzte
d) Professoren
e) Angestellte

10 Was ist richtig? – „Nein, ich glaube nicht,
daß wir einen Regenschirm . . .''
a) müssen mitnehmen
b) mitzunehmen brauchen
c) mit müssen nehmen
d) brauchen zu mitnehmen
e) mitnehmen zu brauchen

11 Im Hotel fragen Sie:
  a) Haben Sie noch ein
     Einmannzimmer mit Bad?
  b) Haben Sie noch eine Einzelzelle
     mit Bad?
  c) Haben Sie noch ein einsames
     Zimmer mit Bad?
  d) Haben Sie noch ein Einerzimmer
     mit Bad?
  e) Haben Sie noch ein Einzelzimmer
     mit Bad?

12 Was ist falsch?
  a) Er hat einen hohen Preis für das
     Bild geboten.
  b) Er hat in der Kirche gebetet.
  c) Er hat das Kind auf die Couch
     gebettet.
  d) Er hat an der Straßenecke
     gebettelt.
  e) Er hat mich um Verzeihung
     geboten.

13 Welcher Satz paßt nicht? – Kaum hatte er
geklingelt, da . . .
  a) öffnete sich die Tür
  b) wurde die Tür geöffnet
  c) stand die Tür offen
  d) ging die Tür auf
  e) wurde die Tür aufgemacht

14 Was gehört zusammen? – Nadel und . . .
  a) Garn   d) Draht
  b) Schnur   e) Seil
  c) Faden

15 Eine Krankenschwester kümmert sich
   um . . .
   a) der Verletzte
   b) den Verletzt
   c) dem Verletzten
   d) den Verletzter
   e) den Verletzten

Test 6

1 Wenn ein Schuh zu klein oder zu eng ist,
  sagt man, er . . .
  a) preßt
  b) quetscht
  c) kratzt
  d) drückt
  e) sticht

2 Welches Wort schließt alle übrigen ein?
  a) Erbsen
  b) Erdnüsse
  c) Hülsenfrüchte
  d) Bohnen
  e) Linsen

3 Weißt du nichts, . . . man dem Kranken eine
Freude machen könnte?
   a) womit   d) das
   b) daß   e) was
   c) mit die

4 In welchem Satz ist die Vorsilbe *ab-* nicht
richtig?
   a) Für so ein Verhalten geht mir jedes
      Verständnis ab.
   b) An der Tür ist ein Stück Lack
      abgegangen.
   c) Peter ist Ostern von der Schule
      abgegangen.
   d) Von dieser Forderung können wir
      nicht abgehen.
   e) Seit meiner Krankheit gehen mir
      die Haare ab.

5 Was kann man nicht senken?
   a) den Kopf
   b) ein Schiff
   c) die Preise
   d) die Augen
   e) die Stimme

6 Das Gegenteil von *unklar* ist *klar*, das
Gegenteil von *unbekannt* ist *bekannt*. Aber
eines der folgenden Wörter kann man nicht
ohne *un-* benutzen!
   a) unbestimmt
   b) unbedeutend
   c) unbehaglich
   d) unbändig
   e) unschuldig

7 Was ist falsch? – Ich wohne . . .
  a) in der Nähe des Bahnhofs
  b) neben einem Supermarkt
  c) gegenüber der Post
  d) auf einer verkehrsreichen Straße
  e) nicht weit von meinen Freunden

8 Sie hat eine Frisur mit . . .
  a) Teilung
  b) Partitur
  c) Teiler
  d) Scheitel
  e) Abteilung

9 Was *findet* nicht *statt*?
  a) ein Konzert
  b) ein Fußballspiel
  c) eine politische Veranstaltung
  d) eine Gruppenreise
  e) ein Unfall

10 Eine falsche Nachricht in der Zeitung nennt
   man auch . . .
  a) ein blindes Huhn
  b) eine Ente
  c) einen dicken Hund
  d) eine Gans
  e) einen Affen

11 Alles dies können Sie in einer Bank tun,
doch ein Ausdruck ist nicht richtig.
Welcher?
 a) Geld wechseln
 b) Schecks einlösen
 c) Kredit aufnehmen
 d) einen Dauerauftrag erteilen
 e) ein Konto aufmachen

12 Das ist . . .
 a) ein Waschbecher
 b) eine Wäscherei
 c) ein Wäscher
 d) eine Waschschüssel
 e) ein Waschbecken

13 Welcher Satz paßt nicht zu den anderen?
 a) Du sollst nicht so viel rauchen!
 b) Du sollst ein Buch veröffentlicht
   haben.
 c) Während der Prüfung sollst du an
   nichts anderes denken!
 d) Du sollst doch deine kleine
   Schwester nicht immer ärgern!
 e) Beim Fahren sollst du den
   Rückspiegel im Auge behalten!

14 In Redensarten hat *schwarz* meist eine
   negative Bedeutung. In welcher nicht?
   a) das schwarze Schaf der Familie
      sein
   b) ins Schwarze getroffen haben
   c) schwarzsehen
   d) jemanden anschwärzen
   e) ein schwarzer Tag

15 Das ist ein . . .
   a) Stiefmütterchen
   b) Großmütterchen
   c) Rotkäppchen
   d) Schneewittchen
   e) Rotkehlchen

Test 7

1 Das Gegenteil von *sympathisch* ist:
   a) apathisch
   b) antipathisch
   c) unsympathisch
   d) unpathetisch
   e) pathetisch

2 Welcher Satz bedeutet etwas anderes?
   a) Es sieht nach Regen aus.
   b) Es wird wohl bald regnen.
   c) Es dürfte Regen geben.
   d) Wir werden wohl Regen
      bekommen.
   e) Es scheint zu regnen.

3 Was ist kein Musikinstrument?
   a) die Mundharmonika
   b) die Blockflöte
   c) die Laute
   d) die Backpfeife
   e) das Waldhorn

4 Kennen Sie das Märchen von
   Schneewittchen und den sieben . . . ?
   a) Wichteln
   b) Heinzelmännchen
   c) Zwergen
   d) Kobolden
   e) Liliputanern

5 Der Arzt sagte, ich müsse auch noch die
   Lungen . . .
   a) untersucht werden
   b) untersuchen lassen
   c) untersucht worden
   d) untersuchen
   e) untersucht sein

6 Was ist das Gegenteil von *klares Wasser*?
   a) unklares Wasser
   b) betrübtes Wasser
   c) unsichtbares Wasser
   d) trübes Wasser
   e) verklärtes Wasser

7 „Wie geht es denn Ihrem kranken
   Kollegen?" – „. . . ich weiß, schon viel
   besser!"
   a) Was
   b) Soweit
   c) Wenn
   d) Wieviel
   e) Sowie

8 Was benutzt er?
   a) einen Optiker
   b) ein Fernglas
   c) ein Mikroskop
   d) einen Durchblick
   e) eine Lupe

9 Man kann sagen: „Heute müssen wir in die Stadt *fahren*" oder „Heute müssen wir in die Stadt." Bei welchem der folgenden Sätze kann man das zweite Verb nicht weglassen?
   a) Kinder, ihr müßt jetzt ins Bett gehen!
   b) Sie müssen wegen des Fiebers noch im Bett bleiben.
   c) Wir wollen im Urlaub in die Alpen fahren.
   d) Schwester Käthe soll zum Chefarzt kommen.
   e) Der Brief muß schnell zur Post gebracht werden.

10 Ich vergesse dauernd etwas! Ich habe eben . . .
   a) ein schwaches Gedenken
   b) eine schwache Bemerkung
   c) eine schwache Erinnerung
   d) einen schwachen Vermerk
   e) ein schwaches Gedächtnis

11 Samen wird . . .
   a) gesät
   b) geerntet
   c) gepflanzt
   d) gelegt
   e) gesetzt

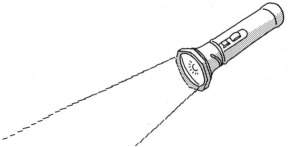

12 Was kommt aus der Taschenlampe?
   a) Ein Lichtstrahl
   b) Ein Lichtband
   c) Ein Lichtstrom
   d) Ein Lichtrand
   e) Ein Lichtstreifen

13 Das *v* spricht man hier wie *f*, jedoch mit
   einer Ausnahme;
   a) verbrieft
   b) versetzt
   c) versiert
   d) verteilt
   e) verlangt

14 Die Gewerkschaft ist eine Organisation
   der . . .
   a) Beamten
   b) Arbeitnehmer
   c) Kaufleute
   d) Industriellen
   e) Arbeitgeber

15 Ich . . . es nicht klug, daß du schon mit 16 heiraten willst!
   a) glaube
   b) halte
   c) finde
   d) meine
   e) denke

Test 8

---

1 Der Ballon zerplatzte mit einem lauten . . .
   a) Lärm   d) Platsch
   b) Krach   e) Knacks
   c) Knall

2 Wenn wir einschlafen, schließen wir unsere . . .
   a) Augenbrauen
   b) Wimpern
   c) Lider
   d) Augenblicke
   e) Augenwinkel

3 Alle diese Wörter werden auf der ersten Silbe betont, nur eines macht eine Ausnahme. Welches?
   a) lebensprühend   d) lebendig
   b) lebensbejahend   e) lebenslang
   c) lebensgroß

4 Welcher Satz ist falsch?
  a) Du selbst hast es mir doch gesagt!
  b) Du verstehst mich selbst nicht.
  c) Ich wasche meine Haare selbst.
  d) Selbst mein bester Freund hat
     mich verlassen.
  e) Selbst wenn man mich dafür
     bezahlte, würde ich dort keinen
     Urlaub machen.

5 Welcher Satz paßt nicht zu dem Bild?
  a) Auf dem Tisch liegt ein
     aufgeschlagenes Buch.
  b) Neben dem Buch steht eine Vase
     mit Rosen.
  c) In der Vase ist nicht genug Wasser.
  d) Eine Rose ist schon verblüht.
  e) Drei Rosen sind noch Knospen.

6 Man hört das Motorengeräusch nur noch
ganz . . .
a) still d) lautlos
b) ruhig e) leise
c) schweigsam

7 Wenn ein Junge von den anderen
Möpschen genannt wird, ist das sein . . .
a) Kosename
b) Spitzname
c) Vorname
d) Titel
e) Zuname

8 Kennen Sie die Verbformen von *wissen*?
Dann finden Sie sicher den Fehler.
a) Ich dachte erst, er wüßte etwas
von der Sache.
b) Aber er wußte überhaupt nichts
davon.
c) Niemand weiß, wie es
weitergehen soll.
d) Der Zeuge sagt, er wisse nichts
von der Angelegenheit.
e) Angeblich hat niemand etwas
davon gewissen.

9 Ein *taktloser* Mensch . . .
a) kann nicht im gleichen Schritt und
Tritt marschieren
b) achtet nicht darauf, ob er andere
verletzt
c) ist ganz unmusikalisch
d) ist ein sehr schlechter Tänzer
e) ist nicht sehr schlau

10 „Du, Vati, kannst du mir fürs Wochenende
   dein Auto borgen?" – „Ich denke nicht . . .,
   mein lieber Sohn!"
   a) daran   d) an das
   b) das   e) über das
   c) darüber

11 Wer alles sehr schnell vergißt, hat ein
   Gedächtnis wie . . .
   a) ein Sieb
   b) ein Faß ohne Boden
   c) eine Grube
   d) ein Loch
   e) ein Abgrund

12 Hier sagen Studenten, was sie am Wochenende tun wollen. Einer macht einen Fehler.
   a) Wenn das Wetter so bleibt, fahre
      ich ins Grüne.
   b) Ich fahre sicher wieder zu meinem
      Onkel.
   c) Ich will mit meiner Freundin an die
      See.
   d) Ich habe vor, nach Hamburg zum
      Fischmarkt zu fahren.
   e) Ich bleibe nach Haus und arbeite
      fürs Examen.

13 „Du hast Glück, daß ich noch wach bin! So
   spät hatte ich nicht mehr mit deinem
   Anruf . . ."
   a) erwartet
   b) gewartet   d) gedacht
   c) gerechnet   e) bekommen

14 Ich würde keinen neuen Motor in diesen
   alten Wagen einbauen lassen! Ich glaube
   nicht, daß sich das . . .
   a) lohnt
   b) klappt
   c) rechnet
   d) verdient
   e) interessiert

15 Diese Bluse ist mir zu eng. Kann ich sie . . .?
   a) verwechseln
   b) umtauschen
   c) umwechseln
   d) auswechseln
   e) vertauschen

Test 9

1 Die Wörter *Pferd, Barren, Reck,
   Schwebebalken* und *Ringe* haben alle etwas
   mit . . . zu tun:
   a) Turnen
   b) Reitsport
   c) Geldwechseln
   d) Bautechnik
   e) Goldschmieden

2 Welches Verb gehört nicht in diese Reihe?
   a) kennen, kannte, gekannt
   b) rennen, rannte, gerannt
   c) brennen, brannte, gebrannt
   d) trennen, trannte, getrannt
   e) nennen, nannte, genannt

3 Ein Mensch, der auf meiner Seite bleibt,
   wenn mich die anderen verlassen, . . .
   a) steht mir zu
   b) steht mir
   c) steht auf mir
   d) steht über mir
   e) steht zu mir

4 Was kann man nicht sagen?
   a) Das ist ja unfaßbar!
   b) Das kann man ja nicht fassen!
   c) Das ist ja nicht zu fassen!
   d) Das läßt sich doch nicht fassen!
   e) Das kann ja nicht gefaßt werden!

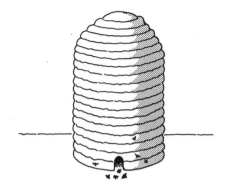

5 Es summte wie in einem . . .
   a) Bienenheim   d) Bienenschlag
   b) Bienennest   e) Bienenhaufen
   c) Bienenkorb

6 Welches Wort paßt nicht zu den anderen?
   a) die Bühne
   b) der Auftritt
   c) der Schauspieler
   d) die Gardine
   e) das Rampenlicht

7 In welchem Satz ist das Wort *nur* falsch?
   a) Leider habe ich nur wenig Zeit.
   b) Ich bin heute nur den zweiten Tag
      in Hamburg.
   c) Nur wer es selbst probiert hat,
      weiß wie schwer es ist.
   d) Hätte ich nur damals auf dich
      gehört!
   e) Wir werden nur zwei Tage in
      Salzburg bleiben.

8 Welches Wort bezeichnet eine Blumenart?
   a) Weihnachtsglocken
   b) Osterglocken
   c) Totenglocken
   d) Glockenschlag
   e) Glockenrock

9 Viele Menschen wissen nichts von dem,
   was in der Welt passiert. Sie leben . . .
   a) von Luft und Liebe
   b) über ihre Verhältnisse
   c) in Saus und Braus
   d) hinter dem Mond
   e) in den Tag hinein

10 Was ist keine Hunderasse?
   a) Schäferhund   d) Pudel
   b) Deckel   e) Bulldogge
   c) Spitz

11 In welchem Satz ist das Wort *tun* falsch?
   a) Tue recht und scheue niemand!
   b) Er tut keiner Fliege etwas zuleide
   c) Wir tun jetzt mal eine Pause.
   d) Heute habe ich viel zu tun.
   e) Mein Knie tut weh.

12 Fünf Zeugen streiten sich um den Zeitpunkt
   einer Tat. In einer Zeitangabe ist ein Fehler:
   a) Das war an einem Montag.
   b) Nein, in der Nacht zum Mittwoch.
   c) Oh nein, schon bei
      Sonnenuntergang.
   d) Es war im Spätherbst.
   e) Nein, am den 10. Dezember.

13 Das ist nicht wahr! Du hast . . .
   a) gelügt
   b) gelagen
   c) gelogt
   d) gelügen
   e) gelogen

14 Was paßt nicht in die Reihe?
   a) der Zeh
   b) das Kinn
   c) die Sohle
   d) die Ferse
   e) der Knöchel

15 Ich . . . lieber in die Berge gefahren, aber
   meine Frau wollte unbedingt an die See.
   a) wäre   d) hätte
   b) bin   e) wollte
   c) würde

Test 10

1 Was macht eine Katze, die sich wohlfühlt? –
   Sie . . .
   a) brummt
   b) knurrt
   c) faucht
   d) schnurrt
   e) murrt

2 Wenn man einen Schirm öffnet, . . .
   a) spannt man ihn aus
   b) entspannt man ihn
   c) dehnt man ihn aus
   d) spannt man ihn auf
   e) zerdehnt man ihn

3 Was ist passiert?
   a) Er hat seinen Bus vermißt.
   b) Er hat seinen Bus verpaßt.
   c) Er hat seinen Bus verloren.
   d) Er hat seinen Bus verfehlt.
   e) Er hat seinen Bus fahren lassen.

4 Fleisch, das man schlecht kauen kann,
   ist . . .
   a) zäh
   b) hart
   c) holzig
   d) klebrig
   e) weich

5 Was bedeutet etwas anderes? – Der
Angeklagte sagte: „Ich bin . . . "
   a) unschuldig   d) frei von Schuld
   b) schuldlos   e) ohne Schuld
   c) schuldenfrei

6 Was sagt der Nachrichtensprecher? – „Die
Lage ist weiterhin unübersichtlich. Der
Präsident . . . "
   a) soll zurückgetreten sein
   b) soll zurückgetreten haben
   c) wird zurückgetreten haben
   d) soll zurückgetreten werden
   e) ist zurückgetreten worden

7 Der Lehrer sagt zum Schüler: „Bitte lies
weiter ab . . . !"
   a) Linie 15   d) Strich 15
   b) Zeile 15   e) Leine 15
   c) Reihe 15

8 Man fragt Sie: „Brauchen Sie das Buch
heute noch?" Sie antworten: „ . . . "
   a) Nein, ich brauche es nicht heute
      mehr.
   b) Nein, ich brauche es heute nicht
      mehr.
   c) Nein, brauche ich es heute nicht
      mehr.
   d) Nein, ich brauche es nicht mehr
      heute.
   e) Nein, ich es heute nicht mehr
      brauche.

9 Eines der Wörter hat nicht den Artikel *das.*
  Welches?
  a) Ergebnis
  b) Ereignis
  c) Erkenntnis
  d) Erlebnis
  e) Zeugnis

10 ,,Ich habe jetzt die Nase voll'' heißt:
  a) Ich habe Schnupfen.
  b) Ich kann nichts riechen.
  c) Ich möchte mit dieser Sache nichts
     mehr zu tun haben.
  d) Ich weiß alles zuerst.
  e) Ich habe ein Gefühl für Dinge, die
     kommen.

11 Was ist das?
  a) Eine Laterne
  b) Ein Strahler
  c) Ein Blitzlicht
  d) Ein Lampenschirm
  e) Eine Taschenlampe

12 Was hat dir denn der Arzt für dein
Rheuma . . . ?
a) abgeschrieben
b) beschreiben
c) angeschrieben
d) vorgeschrieben
e) verschrieben

13 Nach dieser schweren Krankheit willst du
schon wieder arbeiten? . . . das nicht zu früh
ist?
a) Ob
b) Wann
c) Wie
d) Was
e) Obwohl

14 Theaterkarten habe ich nicht mehr
bekommen. Sollen wir nachsehen, ob
irgendwo ein guter Film . . . ?
a) vorführt
b) gibt
c) zeigen wird
d) hat
e) läuft

15 Ich verstehe nicht, warum du so lange
geblieben . . . , wenn es so langweilig war.
a) hast
b) wolltest
c) bist
d) hattest
e) würdest

Test 11

1 Wie heißt das Gegenteil von *Abschied*?
   a) Zurückbleiben
   b) Wiedersehen
   c) Rückgang
   d) Ankunft
   e) Rückkehr

2 Hochsprung ist ein Sprung über . . .
   a) eine Latte
   b) ein Brett
   c) einen Stock
   d) einen Pfahl
   e) ein Holz

3 Die beiden sind unzertrennlich, sie halten zusammen . . .
   a) wie warme Semmeln
   b) wie ein Lauffeuer
   c) wie Pech und Schwefel
   d) wie die Heringe
   e) wie am Spieß

4 Was ist kein Tier?
   a) der Goldhamster
   b) der Wellensittich
   c) die Naschkatze
   d) der Windhund
   e) das Perlhuhn

5 Wo steckt der Fehler?
   a) Er ist immer für die Armen
      eingetreten.
   b) Der Schauspieler ist zuletzt im
      Burgtheater aufgetreten.
   c) Sie ist das Zimmer nicht betreten.
   d) Warum bist du aus dieser Partei
      ausgetreten?
   e) Er ist zum Katholizismus
      übergetreten.

6 Warte einen Augenblick, dein Steak ist
   gleich fertig . . . !"
   a) gekocht
   b) gebacken
   c) gedünstet
   d) geschmort
   e) gebraten

7 Wenn wir jemandem raten, in einer
   gefährlichen Situation aufzupassen, sagen
   wir:
   a) Sieh mal her!
   b) Sieh dich vor!
   c) Sieh mal nach!
   d) Sieh dich an!
   e) Sieh mal an!

8 Diese Arbeit hat doch . . . gedauert, als ich
   gedacht hatte.
   a) so lange   d) viel länger
   b) am längsten   e) ganz lange
   c) nicht so lange

9 „Das Kind hat die Wahrheit gesagt. Hat man es dafür belohnt?" – „Im Gegenteil, es wurde . . . "
a) entlohnt
b) verlohnt
c) bezahlt
d) bestraft
e) gelobt

10 Was kann man nicht sagen?
a) Schnell zog er Hemd und Hose an.
b) Müssen wir Schuhe und Strümpfe ausziehen?
c) Willst du die Jacke oder den Mantel anziehen?
d) Er zog Hut und Handschuhe aus.
e) Sie zog eine blaue Bluse und einen weißen Rock an.

11 „Ich bekomme jetzt Spritzen gegen mein Rheuma." Was bekommt sie?
a) Pillen
b) Injektionen
c) Einreibungen
d) Massagen
e) Tabletten

12 Jetzt beruhigen Sie sich erst mal, und dann erzählen Sie uns der Reihe nach, wie der Unfall . . .
a) passiert
b) passieren wird
c) passiert hat
d) passiert ist
e) passieren hat

13 Ich würde jetzt lieber nicht zu ihm gehen. Er
   ist am Montagmorgen doch immer
   schlechter . . . "
   a) Aussicht
   b) Laune
   c) Meinung
   d) Wut
   e) Gedanken

14 Was trägt sie?
   a) eine Badekleid
   b) eine Badehose
   c) einen Badeanzug
   d) eine Badekombination
   e) einen Bikini

15 Ich habe endlich ein Zimmer gefunden!
   Wochenlang habe ich . . . gesucht.
   a) dafür
   b) dazu
   c) danach
   d) darüber
   e) darum

Test 12

1 Das Gespräch der beiden Minister fand in
  einer sehr . . . Atmosphäre statt.
  a) öffentlichen
  b) offenen
  c) offensichtlichen
  d) geöffneten
  e) offenbaren

2 Ein Satz hat eine andere Bedeutung als die
  übrigen. Welcher?
  a) Er hat sich umgebracht.
  b) Er hat sich das Leben genommen.
  c) Er hat Selbstmord begangen.
  d) Er ist ums Leben gekommen.
  e) Er hat den Freitod gewählt.

3 Das ist . . .
  a) Tennishauer
  b) Tennisklopfer
  c) Tennisstoßer
  d) Tennisschläger
  e) Tennisballer

4 Wenn man etwas besonders gern mag, hat
man eine *Vorliebe* dafür. Wie heißt das
Gegenteil?
   a) Haß   d) Nachteil
   b) Abneigung   e) Unbeliebtheit
   c) Lieblosigkeit

5 Welcher Satz ist nicht überzeugend?
   a) Stundenlang könnte ich Ihrem
      Gesang zuhören!
   b) Wenn Sie singen, könnte ich
      stundenlang zuhören!
   c) Ich könnte Ihnen stundenlang
      beim Singen zuhören!
   d) Ihrem Gesangsvortrag könnte ich
      stundenlang zuhören!
   e) Ich könnte dieser Singerei
      stundenlang zuhören!

6 Was trägt dieser Hund?
   a) eine Halskette
   b) ein Halsband
   c) einen Kragen
   d) eine Hundeleine
   e) eine Hundesteuer

7 Eins davon kann man nicht sagen:
   a) Ich habe den Zug versäumt.
   b) Ich habe den Zug vermißt.
   c) Ich habe den Zug nicht mehr
      bekommen.
   d) Ich habe den Zug nicht mehr
      erreicht.
   e) Ich habe den Zug verpaßt.

8 Hast du deiner Schwiegermutter schon . . .
   Geburtstag gratuliert?
   a) beim
   b) für den
   c) zum
   d) um den
   e) auf den

9 Die Zeit kurz vor Sonnenaufgang und kurz
   nach Sonnenuntergang heißt . . .
   a) Dunkelheit
   b) Finsternis
   c) Düsternis
   d) Verdunklung
   e) Dämmerung

10 In Deutschland ist ein *Groschen* ein
   umgangssprachliches Wort für . . .
   a) einen Pfennig
   b) ein Zehnpfennigstück
   c) eine Mark
   d) eine Spezialmünze für die
      Waschmaschine
   e) ein österreichisches Geldstück

11 In welchem Satz bedeutet *abnehmen*
  ,,glauben''?
  a) Stell dir vor, ich habe in einer
    Woche 5 kg abgenommen!
  b) Niemand kann uns die
    Verantwortung für unser Handeln
    abnehmen.
  c) Er nahm ihr die schwere Aufgabe
    ab.
  d) Meinst du, daß dir irgendeiner
    diese Geschichte abnimmt?
  e) Die Arbeit schien an diesem Tag
    überhaupt nicht abnehmen zu
    wollen.

12 . . . ich fragen, warum Sie Ihre Schuhe mit
  meinen Vorhängen putzen?
  a) Möchte
  b) Werde
  c) Habe
  d) Würde
  e) Darf

13 Hast du mich aber erschreckt! Ich habe dich
  gar nicht . . .
  a) kommen hören
  b) gekommen hören
  c) gekommen gehört
  d) zu kommen gehört
  e) gehört zu kommen

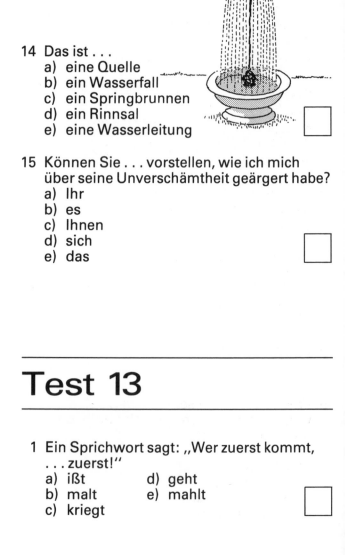

14 Das ist . . .
   a) eine Quelle
   b) ein Wasserfall
   c) ein Springbrunnen
   d) ein Rinnsal
   e) eine Wasserleitung

15 Können Sie . . . vorstellen, wie ich mich
   über seine Unverschämtheit geärgert habe?
   a) Ihr
   b) es
   c) Ihnen
   d) sich
   e) das

Test 13

1 Ein Sprichwort sagt: „Wer zuerst kommt,
   . . . zuerst!"
   a) ißt   d) geht
   b) malt   e) mahlt
   c) kriegt

2 18 und 19 sind zwei . . . Zahlen.
   a) zusammengehörige
   b) benachbarte
   c) aufeinanderfolgende
   d) nahe
   e) verwandte

3 Was braucht man nicht zum
   Kuchenbacken?
   a) eine Backform   d) eine Backpfeife
   b) ein Backblech   e) Backpulver
   c) einen Backofen

4 In welchem Satz sagt der Sprecher nicht
   seine eigene Meinung?
   a) Sie mag einmal bessere Tage
       gesehen haben.
   b) Sie soll einmal bessere Tage
       gesehen haben.
   c) Sie dürfte einmal bessere Tage
       gesehen haben.
   d) Sie könnte einmal bessere Tage
       gesehen haben.
   e) Sie muß einmal bessere Tage
       gesehen haben.

5 Wenn man sicher sein möchte, daß ein
   wichtiger Brief auch bestimmt ankommt,
   schickt man ihn als . . .
   a) Einschreiben
   b) Eilbrief
   c) Muster ohne Wert
   d) Mahnschreiben
   e) Drucksache

6 Was ist falsch? Die Kinder blicken . . .
   a) hinauf
   b) empor
   c) nach oben
   d) herauf
   e) in die Höhe

7 Man sagt: Er ist . . . ein Gentleman.
   a) von oben bis unten
   b) überall
   c) von vorn bis hinten
   d) vom Scheitel bis zur Sohle
   e) von Kopf bis Zeh

8 Ich arbeite wirklich gern im Garten, nur das
   Bücken . . . mir schwer.
   a) fällt   d) macht
   b) klappt   e) kommt
   c) geht

9 Durch diese Diät habe ich in einer Woche
   3 Kilo . .
   a) abgelassen
   b) weggegeben
   c) abgenommen
   d) verlassen
   e) abgetragen

10 Als der Schwimmer endlich aus dem
   Wasser kam, zitterte er . . . Kälte.
   a) aus
   b) wegen
   c) bei
   d) von
   e) vor

11 Sie fühlen sich nicht wohl und wollen sich
   von einem Arzt untersuchen lassen. Doch
   man sagt Ihnen am Telefon: ,,Bedaure,
   heute nachmittag ist . . . ''
   a) keine Arbeitsstunde mehr
   b) keine Handlung mehr
   c) keine Visite mehr
   d) keine Sprechstunde mehr
   e) keine Bearbeitung mehr

12 Gibt es hier . . ., der was von Elektronik
   versteht?
   a) einer
   b) ein
   c) eins
   d) eine
   e) einen

13 Sie haben wirklich große . . . in der
   deutschen Sprache gemacht!
   a) Erfolge
   b) Fortschritte
   c) Vorgänge
   d) Vorteile
   e) Ergebnisse

14 Was stimmt nicht?
   a) Sie liegt auf einer Luftmatratze.
   b) Sie nimmt ein Sonnenbad.
   c) Es ist windstill.
   d) Sie liegt auf dem Rücken.
   e) Sie trägt eine Sonnenbrille.

15 Das Geld ist inzwischen auf Ihr Konto
   überwiesen . . .
   a) gekommen
   b) worden
   c) gewesen
   d) geblieben
   e) geworden

Test 14

1 Welches Wort bezeichnet keine Tierjungen?
  a) Fohlen
  b) Enten
  c) Lämmer
  d) Kälber
  e) Küken

2 Eine böse Überraschung kommt wie ein
  Blitz aus . . . Himmel.
  a) heiterem
  b) blauem
  c) hellem
  d) freiem
  e) fröhlichem

3 Das ist ein . . .
  a) Nußkracher
  b) Nußknacker
  c) Nußöffner
  d) Nußschäler
  e) Nußbeißer

4 Was kann man nicht *aufgeben*?
  a) einen Brief
  b) die Hoffnung
  c) seine Stimme bei der Wahl
  d) seinen Geist
  e) Hausarbeiten

5 Welcher Satz ist falsch?
  a) Er beteuerte seine Unschuld.
  b) Er erklärte sich für unschuldig.
  c) Er behauptete, unschuldig zu sein.
  d) Er sagte, unschuldig zu sein.
  e) Er schwor, unschuldig zu sein.

6 Das Gegenteil von *Sieg* ist . . .
  a) Verlust
  b) Unterlage
  c) Verlorenheit
  d) Niederlage
  e) Ablage

7 Wie schade! Das Kleid ist mir zu . . . geworden!
  a) schlank
  b) dünn
  c) undurchlässig
  d) schmal
  e) eng

8 In Würzburg haben wir 3 Stunden Zeit zu
   einer . . .
   a) Stadtbesichtigung
   b) Stadtansicht
   c) Stadtbetrachtung
   d) Stadtanschauung
   e) Stadtbeschau

9 Ich komme gleich, ich wasche . . .
   a) noch nur mein Gesicht.
   b) mir nur noch das Gesicht.
   c) mich nur noch mein Gesicht.
   d) mir noch ein Gesicht.
   e) nur mich noch mein Gesicht.

10 Das ist . . .
   a) eine Schere
   b) ein Bohrer
   c) eine Zange
   d) ein Hammer
   e) ein Schraubenzieher

11 Sie . . . so, als ob sie uns nicht gesehen
   hätte.
   a) macht
   b) scheint
   c) tut
   d) sieht
   e) hat

12 Welches dieser Verben bildet das Perfekt
mit der Vorsilbe *ge-*?
a) riskieren
b) schmieren
c) studieren
d) möblieren
e) interessieren

13 „Wir waren *im Nu* mit der Arbeit fertig."
Das heißt:
a) hier
b) langsam
c) zu spät
d) sehr schnell
e) zu früh

14 Wo steht der Pfarrer während der Predigt?
a) auf der Kanzel
b) auf dem Balkon
c) auf der Bühne
d) auf dem Katheder
e) auf dem Pult

15 Das Bier schmeckt wirklich gut! Bringen Sie
mir bitte . . .
a) ein mehr Bier
b) ein anderes Bier
c) ein Bier noch
d) noch ein Bier
e) ein Bier mehr

Test 15

1 Welcher Satz paßt nicht in den
   Zusammenhang? – Erst hatte Peter
   bestritten, die Fensterscheibe eingeworfen
   zu haben, aber jetzt hat er . . .
   a) zugegeben, daß er es war.
   b) die Tat gestanden.
   c) ein Geständnis abgelegt.
   d) die Tat bejaht.
   e) aufgehört zu leugnen.

2 Welches Wort ist nicht richtig getrennt?
   a) Ein-sam-keit
   b) Aus-trei-bung
   c) Ans-tel-lung
   d) Ju-gend-her-ber-ge
   e) Pau-sen-zei-chen

3 Was kann man nicht sagen?
   a) Das Baby entwickelt sich gut.
   b) Der Professor entwickelte mir
      seine neueste These.
   c) Sie öffnete das Paket und
      entwickelte das Geschenk.
   d) Hast du den Urlaubsfilm schon
      entwickeln lassen?
   e) Es entwickelte sich eine heftige
      Diskussion über diese Frage.

4 Welche Frucht ist eßbar?
  a) Die Glühbirne
  b) der Augapfel
  c) die Kopfnuß
  d) die Stachelbeere
  e) der Adamsapfel

Herrn
Hans Schmitz
Rheinallee 14
5300 Bonn

5 Die . . . von Bonn ist 5300.
  a) Postnummer
  b) Postleitziffer
  c) Postkartenzahl
  d) Leitungsnummer
  e) Postleitzahl

6 Ein armer Mensch lebt . . .
  a) in Saus und Braus
  b) in Wolkenkuckucksheim
  c) von der Hand in den Mund
  d) in den Tag hinein
  e) hinter dem Mond

7 Er starb viel zu jung! Er wurde . . . 22 Jahre
alt.
  a) erst   d) nur
  b) schon   e) nicht noch
  c) noch

8 „Sie kann doch nichts dafür!" Das heißt:
   a) Es war nicht ihre Schuld.
   b) Sie hat es nicht gekonnt.
   c) Sie kann nicht dafür bezahlen.
   d) Sie hat es nicht tragen können.
   e) Sie kann doch gar nichts.

9 Also auf Wiedersehen! Es war wirklich nett,
   . . . wir uns getroffen haben.
   a) ob
   b) weil
   c) daß
   d) wann
   e) damit

10 Das *Jenseits* ist . . .
   a) die andere Seite der Mauer
   b) die andere Straßenseite
   c) Spielerposition beim Fußball
   d) die andere Seite eines Flusses
   e) das Leben nach dem Tode

11 Wenn jemand erstaunt ist, ruft er: . . .!
   a) Nanu
   b) Na, na
   c) Aha
   d) Ach so
   e) Igitt

12 Welches Wort paßt nicht in die Reihe?
   a) der Komponist
   b) der Polizist
   c) der Optimist
   d) der Expressionist
   e) der Stallmist

13 Hast du schon das . . . von Peter gehört?
   a) Neue
   b) neu
   c) Neueste
   d) neuere
   e) Neuen

14 Ich bin aufgestanden, weil mich das
   Gewitter geweckt hat. Sonst . . . ich heute
   am Sonntag sicher länger geschlafen.
   a) hätte
   b) würde
   c) wäre
   d) könnte
   e) hatte

15 Herr Winkler wird unsere Firma verlassen.
   Man hat ihm eine bessere Stelle . . .
   a) aufgegeben
   b) gebeten
   c) ausgeschrieben
   d) angeboten
   e) abgegeben

Antworten

In den Erläuterungen werden Pluralformen in Klammern angegeben, z. B.

(-) = Plural wie Singular: der Flügel – die Flügel

(″) = Plural wie Singular mit Umlaut: der Schnabel – die Schnäbel

(-n) = Plural wie Singular + Endung -n: die Dose – die Dosen

(″er) = Plural wie Singular mit Umlaut und Endung -er: der Mann – die Männer

Antworten

Test 1

1 **e.** *ausschlafen* = schlafen, solange man möchte;
   (auf)wecken = wach machen; *verschlafen* = länger
   schlafen, als man sollte: „Gestern kam ich zu spät ins
   Büro, weil ich verschlafen hatte."
2 **b.** *Landmann* = Bauer; *Staatsmann* = bedeutender
   Politiker; *Ländler* = oberösterreichischer Volkstanz im
   Dreivierteltakt; *Landser* = umgangssprachlich für
   Soldat.
3 **c.** Richtig: *Visa* oder *Visen*.
4 **e.** Das Verb (Prädikatsteil 1) steht im Hauptsatz immer
   an zweiter Stelle:

	1	2	
Es		wurde	plötzlich ganz dunkel.
Plötzlich		wurde	es ganz dunkel.
Ganz dunkel		wurde	es plötzlich.

5 **c.**

der *Stößel* (-)

der *Mörser* (-)

Mörser und Stößel dienen zum Zerkleinern, Zerreiben;
das *Stoßgebet* (-e) = schnell hervorgestoßenes,

kurzes Gebet in einer Gefahr oder vor einer wichtigen
Entscheidung; der *Stoßdämpfer* (-) = der *Stoßfänger*
(-) dämpft die Schwingungen der Achsfederung beim
Auto.

6 **e.** Bei einer Polizeikontrolle *zeigt* man seinen Paß *vor.*
Ein neues Geschäft oder ein neues Bankkonto wird
eröffnet. Menschen, die sich nicht kennen, werden bei
einer Begegnung einander *vorgestellt.* Ein Geheimnis
wird *offenbart.*

7 **e.** *das Mark* ist im Innern eines (Röhren)Knochens;
Bein ist ein altes Wort für Knochen, der Plural: „die
Gebeine" sind das Skelett eines Toten; „nur noch *Haut
und Knochen* sein" = sehr dünn sein; „*Kopf und
Kragen* riskieren" = sein Leben aufs Spiel setzen; „die
Rechnung stimmt auf *Mark und Pfennig* (oder Heller
und Pfennig)" = sie stimmt ganz genau; „was er sagt,
hat *Hand und Fuß*" = es ist logisch aufgebaut und
richtig.

8 **d**

9 **a.** der *Morgen* (-) = frühe Tageszeit; *morgen* = der
Tag nach heute; *morgen früh* = morgen am Morgen.

10 **c.** *Unter die* (Bett)*Decke kriecht* man vor Angst. „Er
muß *sich nach der Decke strecken*" = er muß mit dem
auskommen, was er hat. „*Unter einer Decke* mit
jemandem *stecken*" heißt sein Komplize in einer
Sache sein, die nicht ganz einwandfrei ist. Man meint,
die Decke fällt einem auf den Kopf, wenn man sich
langweilt oder sich zu Haus allein fühlt.

11 **e.** Die Ausbildung ist abgeschlossen = eine
abgeschlossene Ausbildung.
Leute mit einer abgeschlossenen Ausbildung.
Leute mit abgeschlossener Ausbildung.

12 **c.** Sache: Ich gewöhne mich an das Klima.
Ich gewöhne mich *daran.*
Person: Ich gewöhne mich an meinen Mann.
Ich gewöhne mich *an ihn.*

13 **a.** Ich *habe* nicht *gewußt,* wie schwer das ist,
deshalb *habe* ich es *übernommen.*

14 **e.**

der *Locher* (-)

die *Schüssel* (-n)

die *Schale* (-n)

der *Topf* ("e)

15 **b.** Richtig: Gehen Sie bitte *dorthin!*
Ich bin *hier.* Kommen Sie bitte *hierher* (, wo ich bin)!
Er ist *dort.* Gehen Sie bitte *dorthin* (, wo er ist)!

Test 2

1 **e**
2 **b.** *abziehen* = 1. wegnehmen, 2. subtrahieren,
3. fotokopieren; *wegzerren* = mit Gewalt auf einen
anderen Platz ziehen; *forttreiben* = von einem Platz
verjagen; *aufziehen*: z. B. eine Uhr, die
stehengeblieben ist, in Gang setzen.
3 **c.** Wo *gibt es* solche schönen Äpfel?
Ich möchte wissen, wo *es* solche schönen Äpfel *gibt.*
4 **d.** *mehrjährig*: Der Dieb wurde zu einer *mehrjährigen*
Gefängnisstrafe verurteilt. *ganzjährig*: Das Hotel ist
ganzjährig geöffnet. a und b sagt man nicht.
5 **c.** Der Plural von *Atlas* heißt *Atlanten* oder *Atlasse.*
6 **a.** *Hauptlinien* sind die wichtigsten Linien in einer
Zeichnung oder in einem Eisenbahnnetz; b, c und e
sagt man nicht.

7 **b.** Richtig: *erschrak.*

8 **d.** Richtig: Es ist *kühl.* Es hat sich *abgekühlt.*

9 **b.** *das* Gepäck, also mit Possessivpronomen: *Ihr* Gepäck.

10 **d.** Richtig: Ich hatte Kopfschmerzen, *deshalb ging ich nicht ins Konzert.*

11 **c.** Der Bär *brummt;* ein Hund, der gereizt wird, *knurrt;* ein Ventilator *surrt;* eine Taube *gurrt.*

12 **e.** Und der Spiegel antwortete:
,,Frau Königin Ihr seid die Schönste hier.
Doch Schneewittchen über den Bergen
Bei den sieben Zwergen
Ist noch tausendmal schöner als Ihr!''

13 **b.** Richtig: Er versprach, daß er ihr bald helfen *werde* (indirekte Rede). Auch möglich: . . . helfen *würde* (Irrealität = Man ist nicht sicher, ob er sein Versprechen halten wird.)

14 **b.**

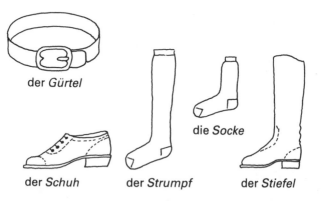

der *Gürtel*

die *Socke*

der *Schuh*   der *Strumpf*   der *Stiefel*

15 **a.** Man nimmt Geld *ein,* einen Kredit *auf,* einen Rat *an,* und man nimmt *sich* etwas *vor* = man plant etwas fest.

Test 3

1 **e.** *schadenfrei* Auto fahren = ohne einen Unfall zu
verursachen; *unschädlich* sein = ohne schädliche
Wirkung sein: Diese Medizin ist völlig unschädlich;
unbeschädigt ist, was ohne Schaden geblieben ist: Bis
auf eine kleine Beule ist der Wagen unbeschädigt; sich
schadlos halten an + Dativ = darauf achten, daß man
keinen Nachteil hat: Weil ihr mir den Pudding
weggegessen habt, werde ich mich an dem Kuchen
schadlos halten (= davon entsprechend mehr essen);
unbeschadet dessen = trotzdem: Viel Geld hatten wir
nicht, aber unbeschadet dessen waren wir munter und
vergnügt.

2 **c**

3 **a.** Mit einer *Kürzung* seines Gehalts war er nicht
einverstanden; das *Kürzel* (-) = Silben- oder
Wortzeichen in der Stenografie (Kurzschrift); d und e
gibt es nicht.

4 **c.** *verstimmt – ärgerlich – zornig – wütend – empört*
ist die richtige Steigerung des Ausdrucks. Alle fünf
Wörter können mit der Präposition *über* gebraucht
werden: Sie war empört über diese Ungerechtigkeit.

5 **b.** Richtig: *Es* war *ihm* unmöglich, . . . oder: *Es* war
unmöglich *für ihn*, . . .

6 **a.** Mit einer *Waage* und *Gewichten* wiegt man, wie
schwer etwas ist. Das *Gewicht* des Koffers beträgt
15 kg. Ein *Wagnis* ist ein Risiko. Ein *Wagen* ist ein
Fahrzeug.

7 **d**

8 **a.** Richtig: Er *hörte* stundenlang *Radio*.

9 **e.** Eine *Notenbank* ist die Zentralbank eines Staates,
die die Banknoten ausgibt; der *Notenaustausch* =
Wechsel von schriftlichen Mitteilungen zwischen zwei
Staaten; der *Notstand* = Zustand drohender Gefahr,
bei dem ein Eingriff in die Rechte der Bürger möglich
ist; mit einer *Notenpresse* werden Banknoten
gedruckt.

10 **c**

11 **a**

12 **e.** Ein *Sender* strahlt Rundfunk- oder Fernseh-
sendungen aus; der *Abgesandte* (-) = der Beauftragte;
die Ausdrücke c und d benutzt man nicht.

13 **e.** Statt *desto* kann man auch *um so* sagen.

14 **b.** Die *Katze* miaut, der *Hund* bellt, das *Schwein*
grunzt, der *Hahn* kräht.

15 **b**

Test 4

1 **e.** Die Rose *blüht, blühte, hat geblüht:* aber sie
beginnt zu blühen = sie *blüht auf, blühte auf, ist
aufgeblüht.* Das Gegenteil von *aufblühen* (oder
erblühen) ist *verblühen*: Die letzten Rosen sind
verblüht. Anfang und Ende des Blühens werden im
Perfekt mit *sein* gebildet (ist erblüht – ist verblüht). Ein
geblümtes Kleid ist ein Kleid mit einem Blumen-
muster. Man sagt etwas „durch die Blume‟ oder
verblümt, wenn man nicht direkt, sondern nur in
Andeutungen spricht. Häufiger ist die verneinte Form
unverblümt: Jemandem unverblümt die Meinung
sagen.

2 **b.** Die Bratsche ist ein Streichinstrument, alle anderen
sind Blasinstrumente.

3 **b.** Richtig: die Skizze (-n).

4 **a.** Richtig: *Mutters Brille.*

5 **a.** Richtig: Hoffentlich gelingt *dem* Fotograf*en* das
Bild. Ein *Schnappschuß* ist eine Aufnahme, auf die der
Fotografierte nicht vorbereitet ist.

6 **e.** . . . , was du vorzubereiten *hast* =
. . . , was du vorbereiten *mußt.*

7 **a.** Ich *weiß*, daß es viele Probleme gibt. Aber: Dieses
Problem ist mir gut bekannt = Ich *kenne* dieses
Problem.

8 **b.**

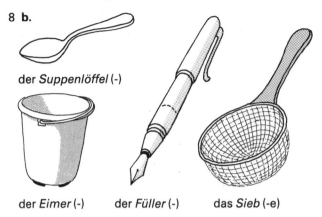

der *Suppenlöffel* (-)

der *Eimer* (-) der *Füller* (-) das *Sieb* (-e)

9 **c.** Die *Zeitung* meldet, was in unserer *Zeit* passiert.
Die entsprechenden Verben sind: *üben – sich
beschäftigen – rechnen – zeichnen.*

10 **d.** (sich) etwas *nutzbar* machen = erreichen, daß man
daraus Nutzen ziehen kann; b sagt man nicht; *nutzlos*
ist, was man nicht brauchen kann oder was nicht hilft:
Alle Proteste waren nutzlos; *benützt* = gebraucht,
nicht mehr neu, nicht mehr sauber.

11 **d.** Richtig: Er antwortet *mir* nicht.

12 **a.** Wer die *Ohren steif hält,* hat keine Angst vor
schwierigen Situationen; meist als Wunsch: Halte die
Ohren steif, alter Junge! Die *Nase rümpft* man, wenn
etwas schlecht riecht; figurativ: die *Nase über
jemanden rümpfen* = auf ihn herabsehen. Man *drückt
ein Auge zu,* indem man zum Beispiel etwas nicht
bestraft, was bestraft werden müßte; die *Hände faltet*
man beim Beten.

13 **b.** Wenn das Auto nicht gebraucht wird, steht es
meist in der *Garage;* in der *Autowerkstatt* werden
Autos repariert; der *Tanker* ist ein Schiff, das Öl
transportiert, die *Gasanstalt* ist ein Betrieb, der eine
Stadt mit Gas versorgt.

14 **e**

15 **e**

Test 5

1 **b.** *aushalten* = ertragen; *anhalten* = stoppen;
   abhalten = hindern, etwas zu tun: Mit seinem Reden
   hat er mich zwei Stunden lang von der Arbeit
   abgehalten; *erhalten* = 1. bekommen, 2. bewahren;
   behalten = 1. nicht weggeben, nicht weglassen,
   2. nicht vergessen.

2 **c.** *wandern* = einen Ausflug oder eine Reise zu Fuß
   machen; *marschieren* = im Gleichschritt gehen, wie
   Soldaten; *laufen* = 1. zu Fuß gehen – im Gegensatz zu
   fahren: Fährst du oder läufst du? 2. schnell gehen,
   rennen; *wandeln* = langsam, geruhsam gehen (litera-
   risch).

3 **b.** Der Hund *bellt*, das Pferd *wiehert*, der Löwe *brüllt*,
   der Wolf *heult*.

4 **d.** Genitiv Plural: die Aufenthaltserlaubnis *der*
   Ausländer, Relativpronomen: Ausländer, *deren*
   Aufenthaltserlaubnis . . .

5 **c.** Richtig: *Ihm* wird gratuliert.

6 **a**

7 **e.** *harmlos* = ungefährlich, tut nichts Böses;
   gefahrlos = mit keiner Gefahr verbunden (Hand-
   lungen); *unschädlich* = es schadet keinem; sich an
   jemandem *schadlos* halten = einen erlittenen
   Schaden auf jemandes Kosten ersetzen; *schadhaft* =
   beschädigt, nicht ganz heil.

8 **a.** b, d und e gibt es nicht.

der *Liegestuhl* (¨e)

9 **b.** Richtig: *Kaufleute*.

10 **b.** Wenn etwas nicht nötig ist, *braucht* man es nicht
   zu tun.

11 **e.** Der Gefangene sitzt in einer *Einzelzelle* im Gefängnis.

12 **e.** Richtig: bitten, bat, hat *gebeten*; a: bieten, bot hat *geboten*; b: beten, betete, hat *gebetet*; c: betten, bettete, hat *gebettet*; d: betteln, bettelte, hat *gebettelt*.

13 **c.** Wenn die Tür schon offenstand, brauchte er nicht zu klingeln.

14 **c.** Ein *Faden* ist ein Stück Garn, Zwirn, Nähseide oder Wolle; man näht mit einem Faden. Eine *Schnur* verwendet man zum Verschnüren von Paketen und Päckchen. Ein *Draht* ist ein längliches, dünnes, biegsames Stück Metall. Ein *Seil* ist dicker als eine Schnur, es kann aus vielen Fasern, Fäden oder Drähten gedreht sein.

15 **e.** *sich kümmern um* + Akkusativ.

Test 6

1 **d.** auch figurativ: *Wo drückt der Schuh?* = Was für ein Problem haben Sie? Wir *pressen* Obst, um Obstsaft zu gewinnen. Kartoffeln *quetscht* man, wenn man Kartoffelbrei machen will. Eine *Quetschung* ist eine Verletzung durch Druck. Der Stoff ist rauh, er *kratzt*. Man *kratzt* sich, wenn es juckt, zum Beispiel, wenn eine Mücke gestochen hat. Nadeln, Stacheln und Dornen *stechen*.

2 **c.** *Erbsen, Erdnüsse, Bohnen* und *Linsen* sind *Hülsenfrüchte*.

3 **a**

4 **e.** Die Haare gehen *aus*.

5 **b.** Im Krieg werden *Schiffe versenkt*; die *Augen senken* = auf den Boden schauen, z. B. weil man sich schämt; die *Stimme senken* = leiser sprechen.

6 **d.** *unbändig* = 1. wild, maßlos. Ihn packte eine unbändige Wut; 2. sehr, groß, stark: Wir haben uns unbändig gefreut; eine unbändige Sehnsucht.

7 **d.** Man *wohnt in* einer Straße. Autos *fahren*, Leute *gehen auf* der Straße.

8 **d.** die *Teilung* Deutschlands in zwei Staaten; der Dirigent hat eine *Partitur* = Noten aller Orchester- und Chorstimmen; ein *Teiler* ist eine Zahl, die in einer anderen Zahl mehrmals enthalten ist, ohne daß ein Rest bleibt, z. B. 2 und 3 sind Teiler von 6; eine *Abteilung* ist eine Gruppe von Mitarbeitern eines Betriebes, die eine bestimmte gemeinsame Aufgabe haben, oder eine militärische Einheit.

9 **e.** *stattfinden* kann nur etwas Geplantes oder Vorbereitetes (Veranstaltung, Vortrag, Konzert, Tanzabend usw.); ein *Unfall ereignet sich*.

10 **b**

11 **e.** Richtig: ein *Konto eröffnen*.

12 **e.** a gibt es nicht. In einer *Wäscherei* wird Wäsche gegen Bezahlung gewaschen; ein *Wäscher* arbeitet in einer Wäscherei.

die *Waschschüssel (-n)*

13 **b.** Hier drückt *sollen* aus, daß man nicht sicher weiß, ob das Gesagte stimmt: *Du sollst* ein Buch veröffentlicht haben = *ich habe gehört, daß du* ein Buch veröffentlicht hast. In den anderen Sätzen ist *sollen* eine Ermahnung, etwas zu tun oder zu lassen.

14 **b.** Wer beim Schießen auf eine Scheibe *ins Schwarze trifft*, hat genau in die Mitte getroffen; figurativ: *ins Schwarze treffen* = genau das Richtige sagen. Das *schwarze Schaf* in der Familie ist jemand, der nicht so

gut oder tüchtig ist wie die andern; *schwarzsehen* =
sehr pessimistisch in die Zukunft sehen; jemanden
anschwärzen = jemanden verdächtigen, etwas Böses
getan zu haben; ein *schwarzer Tag* = ein Tag, an dem
einem nichts so recht gelingt oder an dem man nur
Unangenehmes erlebt.
15 **a.** *Großmütterchen* ist eine Koseform zu Großmutter;
Rotkäppchen und Schnewittchen sind zwei
Märchengestalten; das *Rotkehlchen* ist ein Vogel.

Test 7

1 **c.** *(un)sympathisch* = (un)angenehm, (un)erfreulich;
apathisch = gleichgültig, teilnahmslos, stumpf; b gibt
es nur als Nomen: *Antipathie* = Abneigung;
pathetisch = mit viel Gefühl oder Leidenschaft im
Ausdruck, Gegensatz: *unpathetisch* = nüchtern,
sachlich.
2 **e.** *Es scheint zu regnen* = wenn ich mich nicht
täusche, regnet es (jetzt). a–d bedeutet, daß in naher
Zukunft Regen zu erwarten ist.
3 **d.** die *Backpfeife* (-n) = Schlag mit der Hand ins
Gesicht.

die *Mundharmonika* (-s)

die *Blockflöte* (-n)

die *Laute* (-n)

das *Waldhorn* (⸚er)

4 **c.** *Wichtel, Heinzelmännchen, Zwerge und Kobolde* sind kleine Märchenwesen; in Verbindung mit dem Märchen von Schneewittchen spricht man nur von *Zwergen. Liliputaner* sind kleinwüchsige Menschen; die Bezeichnung geht auf das Märchenland Liliput in ,,Gullivers Reisen'' des englischen Schriftstellers Jonathan Swift zurück.

5 **b**

6 **d.** *unklar* ist etwas, was man nicht versteht; *betrübt* = traurig; *unsichtbar* ist etwas, was man nicht sehen kann; *verklärt* = überirdisch, strahlend; schöner erscheinend, als es in Wirklichkeit ist.

7 **b.** *Soweit ich weiß* sagt man, wenn man nicht sicher ist, ob man wirklich richtig informiert ist.

8 **e.** Ein *Optiker* verkauft Brillen, *Ferngläser, Mikroskope* und *Lupen*; mit dem *Fernglas* beobachtet man Dinge in großer Entfernung; mit dem *Mikroskop* vergrößert man Dinge, die auch in der Nähe für das bloße Auge zu klein sind; ein *Durchblick* ist eine Stelle, die den sonst versperrten Blick freigibt (ein Tal zwischen Bergen, eine Lichtung im Wald, ein Loch im Zaun usw.); die *Lupe* ist ein Vergrößerungsglas.

9 **b.** In Sätzen, die nach folgendem Schema gebaut sind, kann man das Hauptverb, das eine Fortbewegung ausdrückt, fortlassen:

	Hilfsverb	*Richtungsangabe*	*Hauptverb*
Ihr	müßt	ins Bett	(gehen).
Wir	wollen	in die Alpen	(fahren).
Sie	soll	zum Chefarzt	(kommen).
Der Brief	muß	zur Post	(gebracht werden).

10 **e.** *Gedächtnis* = Fähigkeit, sich etwas zu merken oder sich an etwas zu erinnern. Aber: Ich habe nur noch eine *schwache Erinnerung* an meine Großmutter. *Erinnerung* = Vorstellung von etwas Vergangenem. a, b und d sagt man nicht.

11 **a**

12 **a**

13 **c.** Die Vorsilbe *ver-* wird immer mit *f* gesprochen; aber *versiert* (= erfahren, gewandt) ist ein Fremdwort, in dem *ver-* nicht Vorsilbe ist, sondern zum Wortstamm gehört.

14 **b**

15 **c.** Möglich ist auch:

Ich $\left\{\begin{array}{l} \textit{glaube,} \\ \textit{meine,} \\ \textit{denke,} \end{array}\right\}$ *es ist* nicht klug . . .

Ich   *halte*   es nicht *für* klug, . . .

Test 8

1 **c.** Ein *Knall* ist ein kurzes, lautes Geräusch, z. B. von einem Schuß oder einer Explosion. *Lärm* sind mehrere laute Geräusche zusammen: Der Lärm auf der Straße ist unerträglich. *Krach* kann dasselbe wie Lärm bedeuten, aber auch ein einzelnes lautes Geräusch bezeichnen: Er warf die Tür mit einem Krach hinter sich zu. Ein *Knacks* ist ein Riß: Der Teller hat einen Knacks.

2 **c.**

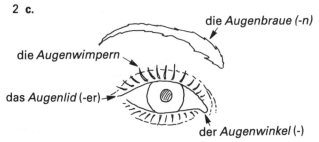

die *Augenbraue (-n)*

die *Augenwimpern*

das *Augenlid* (-er)

der *Augenwinkel* (-)

Ein *Augenblick* ist eine sehr kurze Zeit oder ein Zeitpunkt: „Warte einen Augenblick, bitte." „In diesem Augenblick geschah es."

3 **d.** Richtig betont: *le'bendig*.

4 **b.** Richtig: *Selbst du* verstehst mich nicht (, obwohl du doch mein bester Freund bist).

5 **e.** Richtig: *Zwei* Rosen sind noch Knospen = sind noch nicht aufgeblüht.

6 **e.** Wenn es *still* ist, hört man nichts. *Ruhig* bedeutet dasselbe wie *still*, aber auch „nicht aufgeregt", „gleichmäßig": ein ruhiges Gespräch, ruhig atmen, ein ruhig laufender Motor. Ein *schweigsamer* Mensch spricht wenig. *Lautlos* = ohne daß man etwas hört: Die Katze schlich sich lautlos heran.

7 **b.** Einen *Spitznamen* gibt man jemandem, über den man sich lustig macht, z. B. *Möpschen* für einen Dicken. Ein *Kosename* drückt Liebe und Zärtlichkeit aus: Herzchen, Schätzchen.

Titel	Vorname	Zuname (=Familienname)
Dr.	Peter	Müller

8 **e.** Richtig: *gewußt*.

9 **b**

10 **a**

11 **a**

12 **e.** Richtig: Ich bleibe *zu* Haus.

13 **c.** Möglich ist: Ich hatte deinen Anruf *erwartet*. Ich hatte *auf* deinen Anruf *gewartet*.

14 **a**

15 **b.** *umtauschen* = zurückgeben, um dafür eine passende Bluse zu bekommen; *verwechseln*: Er verwechselte die beiden Türen und ging ins falsche Zimmer; auf der Bank Mark in Lire *umwechseln*; einen abgefahrenen Autoreifen gegen einen neuen *auswechseln*; an der Garderobe wurden unsere Mäntel *vertauscht* = jeder bekam den Mantel eines anderen.

Test 9

1 **a.** *Pferd, Barren, Reck, Schwebebalken* und *Ringe*
sind Turngeräte.

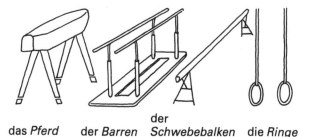

das *Pferd*　　der *Barren*　　der *Schwebebalken*　　die *Ringe*

2 **d.** Richtig: *trennen, trennte, getrennt.*

3 **e.** Etwas *steht mir zu* = ich habe einen Anspruch
darauf; ein Hut oder ein Kleid *steht mir* = ich sehe gut
damit aus; jemand *steht über mir* = er ist mein
Vorgesetzter, er ist mir überlegen.

4 **e.** Die anderen Sätze drücken aus, daß man etwas
nicht verstehen kann.

5 **c.** In einem Tier*heim* werden hilflose Tiere versorgt;
ein Vogel*nest;* ein Tauben*schlag;* ein Ameisen*haufen.*

6 **d.** Wenn ein *Schauspieler* auf die *Bühne* kommt, hat
er seinen *Auftritt.* Die Scheinwerfer am vorderen
Bühnenrand sind das *Rampenlicht.* Die Bühne kann
mit einem *Vorhang* verschlossen werden. Eine
Gardine ist ein Fenstervorhang.

7 **b.** Richtig: Ich bin heute *erst* den zweiten Tag in
Hamburg. Aber: Ich bin *nur* zwei Tage (lang) in
Hamburg.

8 **b.** *Weihnachtsglocken* = Glocken, die zu
Weihnachten läuten; *Totenglocken* werden zur
Beerdigung geläutet; *Glockenschlag* = Schlag der
Turmuhr, der die Zeit angibt; *Glockenrock* =
glockenförmiger Damenrock.

9 **d.** *von Luft und Liebe leben* = nichts zum Leben
brauchen; *über seine Verhältnisse leben* = mehr Geld
ausgeben, als man hat; *in Saus und Braus leben* =
verschwenderisch leben, das Leben im Übermaß
genießen; *in den Tag hinein leben* = sich keine
Gedanken über die Zukunft machen.

10 **b.** Richtig: der *Dackel.* Mit einem *Deckel* verschließt
man eine Kanne, eine Dose, eine Kiste, einen Koffer
usw.

11 **c.** Richtig: Wir *machen* eine Pause.

12 **e.** Richtig: *am* 10. Dezember (*am = an dem*).
Zeitangaben mit:
an/am: am Morgen, am Mittag, am Abend; am
Montag, am Dienstag; am 1. April; am
Wochenende, am Monatsanfang; an einem
Sommertag;
in/im: in der Nacht; im Jahr 1984; im Frühling, im
Sommer; im Mai, im Juni; in dem Jahr, als
wir in England waren.

13 **e**

14 **b**

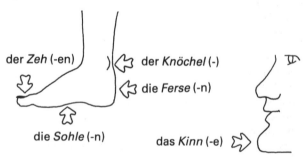

der *Zeh* (-en)   der *Knöchel* (-)

die *Ferse* (-n)

die *Sohle* (-n)   das *Kinn* (-e)

15 **a**

Test 10

1 **d.** Ein Bär *brummt*, ein gereizter Hund *knurrt*, eine
   gereizte Katze *faucht*, ein Mensch, der nicht offen
   ausspricht, daß er unzufrieden ist, *murrt*.
2 **d.** *ausspannen* = sich erholen; jemandem *die
   Freundin ausspannen* = ihm die Freundin
   wegnehmen; *sich entspannen* = sich ausruhen, die
   Muskeln lockern, an nichts denken; *sich ausdehnen* =
   einen größeren Raum einnehmen; *etwas ausdehnen*
   = etwas in die Länge ziehen; etwas *zerdehnen* = so
   dehnen, daß es seine Form verliert.
3 **b.** Man *vermißt* etwas, was man verloren hat, was
   einem fehlt; *verlieren* kann man nur etwas, was man
   vorher gehabt hat, z. B. ein Taschentuch, Geld, einen
   Freund, das Leben; man *verfehlt* jemanden, den man
   an der falschen Stelle oder zur falschen Zeit erwartet;
   den Bus *fahren lassen* = darauf verzichten mitzu-
   fahren.
4 **a.** Altes, trockenes Brot ist *hart;* wenn man Spargel
   nicht gut kauen kann, ist er *holzig*; Honig ist *klebrig*,
   was *weich* gekocht ist, braucht man kaum zu kauen.
5 **c** = ohne Geldschulden.
6 **a.** Er *soll zurückgetreten sein* = Man sagt, daß er
   zurückgetreten sei, d. h. nicht mehr Präsident sei:
   zurückgetreten haben (in b und c) würde bedeuten,
   daß er einen Menschen getreten hat, der zuvor ihn
   getreten hatte: d und e sind nicht möglich.
7 **b.** Ein Schreibheft hat *Linien*; Soldaten stehen in einer
   Reihe; – und / sind *Striche*; man hängt Wäsche auf die
   Leine und führt den Hund an der *Leine*.
8 **b.** Der Prädikatsteil 1 = das konjugierte Verb muß im
   Hauptsatz immer in Position II stehen; die Negation
   von *noch* = *nicht mehr* wird nie getrennt, sie steht am
   Satzende oder vor dem 2. Prädikatsteil.
9 **c.** Richtig: *die* Erkenntnis.
10 **c**

11 **e.**

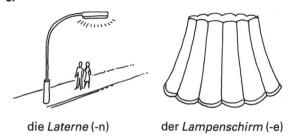

die *Laterne* (-n)   der *Lampenschirm* (-e)

Ein *Strahler* wird auf eine hell zu beleuchtende Stelle (z. B. eine Tänzerin auf dunkler Bühne) gerichtet; ein *Blitzlicht* ist ein sehr helles, kurz aufflammendes Licht z. B. in der Fotografie.

12 **e.** *verschreiben*: hier = ein Rezept ausstellen; *abschreiben* = kopieren; *beschreiben* = das Aussehen einer Person oder Sache mit Worten wiedergeben, ein Ereignis genau erzählen; *anschreiben* = an eine Wand oder Tafel schreiben; *vorschreiben* = verlangen, daß jemand in bestimmter Weise handelt.

13 **a.** Fragesätze, die mit einem Verb beginnen, werden indirekt mit *ob* wiedergegeben. *Ist* das nicht zu früh? (Ich frage mich,) *ob* das nicht zu früh *ist*.

14 **e.** Eine Person *führt* einen Film *vor*. Richtig wäre: . . . , ob *es irgendwo einen* guten Film *gibt*; . . . , ob irgendwo ein guter Film *gezeigt* wird; d sagt man nicht.

15 **c.** *bleiben* bildet das Perfekt mit *sein*.

Test 11

1 **b**

2 **a**

3 **c.** Eine Ware, die sehr schnell verkauft wird, *geht weg wie warme Semmeln* (= Brötchen). Eine aufregende Nachricht *verbreitet sich wie ein Lauffeuer.* In einem

überfüllten Bus stehen die Menschen *wie die Heringe.*
Das Kind ist hingefallen und *schreit wie am Spieß.*

4 **c.** Eine *Naschkatze* ist jemand, der zu viele Süßig-
keiten ißt.

5 **c.** Richtig: Sie *hat* das Zimmer (Akkusativ) nicht
betreten. Verben mit Akkusativobjekt bilden das
Perfekt mit *haben.*

6 **e.** *braten* = in heißem Fett gar werden lassen. Man
kocht mit Wasser (Suppe, Gemüse, Fleisch).
Kuchen wird in trockener Hitze im Ofen *gebacken.*
Fleisch und Gemüse kann man im Wasserdampf
dünsten. Fleisch *schmoren* = zuerst braten und dann
langsam kochen.

7 **b**

8 **d.** . . . (nicht) *so* lange, *wie* ich gedacht hatte; aber:
läng*er, als* ich gedacht hatte.

9 **d.** *entlohnen* = den Lohn auszahlen; *verlohnen* = sich
lohnen, der Mühe wert sein; jemanden *bezahlen* =
ihm Geld geben für etwas; der Gegensatz zu *loben* ist
tadeln.

10 **d.** Richtig: Er *nahm den Hut ab* und *zog die Handschuhe aus.*

11 **b**

12 **d.** *passieren* bildet das Perfekt mit *sein.*

13 **b**

14 **c**

15 **c**

Test 12

1 **b.** *offen* = aufgeschlossen, ehrlich, rückhaltlos: ein
offenes Ohr für jemand haben = jemandem
interessiert zuhören, ein offenes Gesicht = ein
ehrliches Gesicht, offen seine Meinung sagen =
ehrlich alles sagen, was man denkt; *öffentlich* =
Gegenteil von *geheim; offensichtlich* = für jeden

sichtbar: ein offensichtlicher Fehler; *geöffnet* =
Gegenteil von *geschlossen:* geöffnete Türen, Fenster,
Geschäfte, Bücher; *offenbar* = klar erkennbar: ein
offenbarer Widerspruch.

2 **d.** *ums Leben kommen, umkommen* = durch Gewalt,
ein Unglück, Hunger usw. sterben; die anderen Sätze
sagen aus, daß er sich selbst getötet hat.

3 **d.** Die anderen Wörter gibt es nicht.

4 **b.** Gegensatzpaare:
Haß: Liebe; *Abneigung*: Zuneigung, Vorliebe;
Lieblosigkeit: liebevolle Zuneigung; *Nachteil*: Vorteil;
Unbeliebtheit: Beliebtheit.

5 **e.** die *Singerei* = Singen, das einem auf die Nerven
geht. Ebenso kann man von anderen Verben durch die
Endung *-(r)ei* Nomen mit abwertender Bedeutung
bilden: *Fahrerei, Rennerei, Klingelei, Sucherei* usw.

6 **b.** Eine *Halskette* ist ein Schmuckstück; am Mantel,
an der Jacke, am Oberhemd ist ein *Kragen*; an der
Hundeleine führt man einen Hund auf der Straße; für
Hunde muß in Deutschland eine *Hundesteuer* bezahlt
werden.

7 **b.** Man *vermißt* etwas, was einem fehlt.

8 **c.** *gratulieren zu* + Dativ.

9 **e.** *Dämmerung* = schwaches Licht; *Dunkelheit* =
Fehlen von Licht; *Finsternis, Düsternis* = bedrohliche,
bedrückende Dunkelheit; *Verdunkelung* =
Dunkelwerden, Dunkelmachen.

10 **b**

11 **d**

12 **e**

13 **a.** Ich *höre* ihn *kommen.*
Ich *hörte* ihn *kommen.*
Ich *habe* ihn *kommen hören.*
Ebenso: Ich *habe* ihn *kommen sehen.*
Ich *habe* ihn *kommen lassen.*

14 **c.** Ein Bach oder ein Fluß entspringt an der *Quelle;* ein
Wasserfall ist ein über eine oder mehrere Stufen
herabstürzender Wasserlauf; ein *Rinnsal* ist ein

langsam fließendes, sehr schmales Gewässer; eine
Wasserleitung ist ein Rohrsystem, das der Versorgung
mit Wasser dient.
15 **d**

Test 13

1 **e.** Grundbedeutung: Der Bauer, der sein Korn als
erster zur Mühle brachte, bekam es zuerst gemahlen.
2 **c**
3 **d.** Eine *Backpfeife* ist ein Schlag ins Gesicht.
4 **b.** Sie *soll* . . . gesehen haben = Man hat es von
anderen gehört oder man hat es gelesen, daß sie
bessere Tage gesehen habe, weiß aber nicht, ob es
wahr ist; *könnte* und *mag* drücken aus, daß der
Sprecher das Gesagte für möglich hält; bei *dürfte* hält
er es für wahrscheinlich; bei *muß* ist er überzeugt.
5 **a.** Ein *Einschreiben* wird bei der Post registriert und
nur gegen Unterschrift ausgehändigt. Ein *Eilbrief* wird
besonders schnell zugestellt. *Muster ohne Wert* sind
Warenproben, die von Firmen verschickt werden. Mit
einem *Mahnschreiben* erinnert man daran, daß eine
Rechnung noch zu bezahlen ist. Eine *Drucksache* ist
eine Postsendung, die einen gedruckten Text enthält.
6 **d.** *hin-* = vom Sprecher weg; *her-* = auf den Sprecher
zu.
7 **d**
8 **a**
9 **c**
10 **e.** *vor* + *Gefühl* + *Verb*
Empfindung

vor	Hitze	stöhnen
vor	Kälte	zittern
vor	Hunger und Durst	ohnmächtig werden
vor	Schreck	blaß werden

vor	Scham	erröten
vor	Freude	hüpfen

11 **d**

12 **e.** *geben* + Akkusativ:
   Gibt es hier *einen* (Mann), der . . . ?
   Gibt es hier *eine* (Frau), die . . . ?

13 **b.** Man *hat Erfolge;* man *erzielt Ergebnisse.*
   Fremdsprachenkenntnisse *bringen Vorteile*, man *hat*
   dadurch *Vorteile* im Beruf. *Vorgänge* sind Dinge, die
   vor sich gehen = geschehen.

14 **c.** Der Wimpel weht im Wind.

15 **b.** Passiv: Das Geld wird überwiesen.
   Das Geld wurde überwiesen.
   Das Geld *ist überwiesen worden.*

Test 14

1 **b.** *Fohlen* (-) = junges Pferd; *Lamm* ("er) = junges
   Schaf, junge Ziege; *Kalb* ("er) = junges Rind; *Küken* (-)
   = junges Huhn, junge Gans, junge Ente.

2 **a**

3 **b**

4 **c.** Richtig: seine *Stimme abgeben*; einen *Brief
   aufgeben* = in den Briefkasten werfen, ihn zur Post
   bringen; die *Hoffnung aufgeben* = nichts mehr
   hoffen; seinen *Geist aufgeben* = sterben;
   Hausarbeiten aufgeben = den Schülern eine Aufgabe
   geben, die sie zu Haus lösen sollen.

5 **d.** Richtig: Er sagte, *daß er* unschuldig *sei.*
   Er sagte, *er sei* unschuldig.

6 **d.** Das Gegenteil von *Verlust* ist *Gewinn. Unterlage* =
   1. das, worauf etwas steht oder liegt, Grundlage,
   2. schriftlicher Beweis für etwas, Aktenstück.
   Verlorenheit = Gefühl der Einsamkeit. *Ablage* = Platz,

an dem etwas abgelegt und aufbewahrt wird:
Hutablage in der Garderobe; Aktenablage im Büro.

7 **e.** Gegenteil von *eng: weit; schlank* und *dünn* sind
das Gegenteil von *dick; schlank* bezieht sich
gewöhnlich auf die Figur; *dünn* kann eine Wand, ein
Stoff, die Haut, eine Suppe sein; *schmal* ist das
Gegenteil von *breit; undurchlässig* ist etwas, was so
dicht ist, daß nichts hindurchkommt; z. B. eine Hecke,
ein wasserundurchlässiger (= wasserdichter) Stoff.

8 **a.** Eine Postkarte oder ein Bild können eine
Stadtansicht wiedergeben; c, d und e sagt man nicht.

9 **b.** Ich wasche *meine Bluse.*
       mein Auto.   (Gegenstände)
       mich.   (reflexiv)
       mir das Gesicht.
       mir die Hände.   (Körperteile)

10 **a.**

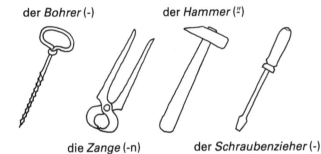

der *Bohrer* (-)   der *Hammer* (")

die *Zange* (-n)   der *Schraubenzieher* (-)

11 **c.** *Sie tut so, als ob . . .* = Sie hat uns gesehen, wir
sollen aber glauben, sie hätte uns nicht gesehen.
Aber: *Sie scheint uns nicht gesehen zu haben.* = Ich
glaube, sie hat uns nicht gesehen.

12 **b.** Verben mit der Endung *-ieren* haben im Perfekt
kein *ge-: hat riskiert* usw.; aber *schmier-* ist die

Stammsilbe des Verbs *schmieren: hat geschmiert,* Perfekt mit ge-!

13 **d**

14 **a.** Die *Kanzel* in der Kirche; der *Balkon* = Vorbau am Haus; der Schauspieler steht auf der Bühne; der Lehrer steht am *Katheder* oder am *Pult.*

15 **d.** Man bestellt *noch ein Bier,* wenn man schon eins getrunken hat und noch durstig ist; *ein anderes Bier* = nicht dieses Bier, das Sie mir gebracht haben, sondern eine andere Sorte.

Test 15

1 **d.** *die Tat bejahen* = sie gut und richtig finden.

2 **c.** Richtig: *An-stel-lung; st* wird im allgemeinen nicht getrennt, nur in zusammengesetzten Wörtern wie: *Haus-tür,* in denen *-s* zum ersten, *t-* zum zweiten Bestandteil gehört.

3 **c.** Richtig: . . . sie *wickelte* das Geschenk *aus.*

4 **d.** *Glühbirne* = elektrische Glühlampe; *Augapfel* = das Auge; die *Kopfnuß* = leichter Schlag an den Kopf; der *Adamsapfel* = am Hals sichtbar hervortretender Kehlkopfknorpel.

5 **e**

6 **c.** *von der Hand in den Mund leben* = so wenig Geld verdienen, daß man alles gleich für den Lebensunterhalt ausgeben muß; *in Saus und Braus leben* = im Überfluß leben; *in Wolkenkuckucksheim leben* = ein Träumer sein, die Wirklichkeit nicht sehen; *in den Tag hinein leben* = nicht an die Zukunft denken; *hinterm Mond leben* = von nichts etwas wissen.

7 **d.** *nur* = weniger als erwartet. Das Buch kostet 10,– DM. Ich habe *nur* 7,– DM. Wir erwarteten die Gäste um 6 Uhr; einige kamen *schon* früher, andere *erst* später. Es ist *noch* viel zu tun, bis wir fertig sind. Der Koffer ist *schon* schwer genug, du solltest *nicht noch* mehr hineinstopfen.

8 **a**

9 **c**

ISBN
0575043407

TITLE
Shakespeare Stories.

AUTHOR
Garfield, Leon

PUBLISHER
Gollancz : Sep 88

SUBJECT
Children's Books

BINDING: D8.288. Ill.(some col.).M.Fore
an. 4CDE. n.e. Pape
CATEGORY: CN4
PRICE: 9.99
PUB DATE:

15

1 e   9 c

2 ⬤   10 e

3 c   11 a

4 d   12 e

5 e   13 c

6 c   14 a

7 a   15 d

8 a

(B)

10 **e.** *Jenseits* kommt als Nomen nur in dieser
Bedeutung vor; sonst wird es als Präposition mit
Genitiv gebraucht: *jenseits* der Mauer, der Straße, des
Flusses usw. = auf der anderen Seite der . . . /des . . .
Die Spielerposition beim Fußball heißt *Abseits*.

11 **a.** *na, na* = leichter Vorwurf, Warnung; *aha* = ich
verstehe; *ach so* = jetzt verstehe ich es erst richtig;
igitt = Ekel: Igitt, eine Spinne!

12 **e.** *Stallmist* = Stall + Mist (natürlicher Dünger). Die
anderen Wörter haben die Endung *-ist*.

13 **c**

14 **a**

15 **d.** Er *gibt* seine alte Stelle *auf* und *nimmt* eine neue
an. Freie Stellen werden in der Zeitung *ausgeschrie-*
ben.

Ihr Testergebnis

Test 1 ☐

Test 2 ☐

Test 3 ☐

Test 4 ☐

Test 5 ☐

Test 6 ☐

Test 7 ☐

Test 8 ☐

Test 9 ☐

Test 10 ☐

Test 11 ☐

Test 12 ☐

Test 13 ☐

Test 14 ☐

Test 15 ☐

GESAMT ☐

Wie geht es weiter?

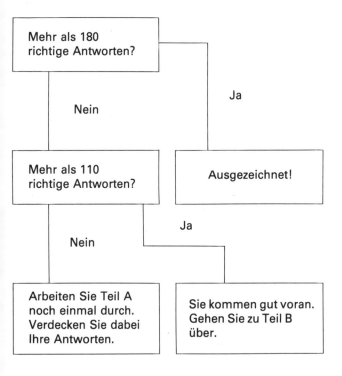

Mehr als 180 richtige Antworten?

Nein

Ja

Mehr als 110 richtige Antworten?

Ausgezeichnet!

Nein

Ja

Arbeiten Sie Teil A noch einmal durch. Verdecken Sie dabei Ihre Antworten.

Sie kommen gut voran. Gehen Sie zu Teil B über.

TEIL B

Test 1

1 „Die Schauspielerin hatte Lampenfieber"
heißt:
   a) Sie hatte hohes Fieber
   b) Das Licht war viel zu grell.
   c) Sie war sehr ungünstig beleuchtet.
   d) Sie hatte Angst vor dem Auftreten.
   e) Das Rampenlicht war zu heiß.

2 Die zweite Frau eines Mannes ist für die
Kinder der ersten deren . . .
   a) Pflegemutter
   b) Adoptivmutter
   c) Schwiegermutter
   d) Schraubenmutter
   e) Stiefmutter

3 Ein *als* ist falsch:
   a) In den Semesterferien arbeitete
      der Student als Kellner.
   b) Es sah so aus, als gäbe es keine
      Hoffnung für den Kranken.
   c) Richard ist nicht so klug als seine
      Schwester.
   d) Als ich 6 Jahre alt war, kam ich in
      die Schule.
   e) Das Buch ist sowohl im Text- als
      auch im Bildteil ausgezeichnet.

4 Was sagt man nicht?
   a) Kleine Kinder stecken alles in den
      Mund.
   b) Die größeren Kinder halfen beim
      Tischdecken.
   c) Das Fernsehen ist nicht gesund für
      die jungen Kinder.
   d) Männer sind große Kinder.
   e) Die kleineren Kinder spielten im
      Garten.

5 Welches Wort heißt *ganz leise gehen?*
   a) kriechen   d) stampfen
   b) schleichen   e) hüpfen
   c) hinken

6 Wie geht das Sprichwort weiter? – ,,Wie
   gewonnen, so . . .''
   a) begonnen   d) gesonnen
   b) versonnen   e) geronnen
   c) zerronnen

7 Welche Reihenfolge ist richtig?
   a) die Pfütze, der Teich, der See, die
      See, der Ozean
   b) der Teich, der See, die Pfütze, der
      Ozean, die See
   c) der See, die Pfütze, der Ozean, die
      See, der Teich
   d) der Ozean, der See, die See, der
      Teich, die Pfütze
   e) der Ozean, die See, der See, die
      Pfütze, der Teich

8 Was kann nicht ausbrechen?
   a) ein Gefangener
   b) eine Revolution
   c) ein Feuer
   d) ein Gewitter
   e) eine Epidemie

9 Welcher Sprecher war gestern als Patient
   bei dem Arzt?
   a) Ich habe Dr. Weber gestern
      gesehen.
   b) Ich habe Dr. Weber gestern
      aufgesucht.
   c) Ich habe Dr. Weber gestern
      besucht.
   d) Ich habe Dr. Weber gestern
      angerufen.
   e) Ich habe mich gestern bei Dr.
      Weber angemeldet.

10 Wenn man angegriffen wird, muß man
   sich . . .
   a) verstecken
   b) festhalten
   c) verbergen
   d) entgegnen
   e) verteidigen

11 Ich habe keine Kartoffeln mehr. Würdest du
   mir bitte vom Markt . . . mitbringen?
   a) eine
   b) sie
   c) von ihnen
   d) das
   e) welche

12 Das ist ein . . . Dreieck.
   a) rechtwinkliges
   b) rechtseitiges
   c) rechteckiges
   d) rechtliniges
   e) rechtenglisches

13 Mit einem *Barometer* mißt man . . .
   a) die Geschwindigkeit
   b) die Temperatur
   c) das Gewicht
   d) die Lautstärke
   e) den Luftdruck

14 Nomen mit der Endung *-e* sind fast immer feminin. Finden Sie hier die Ausnahme?
   a) Freude
   b) Glaube
   c) Liebe
   d) Treue
   e) Ruhe

15 Wenn jemand gähnt, . . .
   a) hat er Angst
   b) ist es ihm zu heiß
   c) hat er Hunger
   d) ist er sehr erkältet
   e) ist er müde

Test 2

1 Was ist richtig? – „Das Vorgehen der
Regierung könnte . . . Folgen haben.''
   a) unbesehene
   b) unabsehbare
   c) unübersichtliche
   d) unsichtbare
   e) unübersehbare

2 Wie ist die richtige Reihenfolge?
   a) heiß, kalt, warm, lau, eisig
   b) eisig, kalt, warm, heiß, lau
   c) heiß, lau, warm, eisig, kalt
   d) kalt, eisig, warm, lau, heiß
   e) eisig, kalt, lau, warm, heiß

3 Was sagt der Zahnarzt nach der
Behandlung zu seinem Patienten?
   a) Bitte spucken!
   b) Bitte gießen!
   c) Bitte spülen!
   d) Bitte rinnen!
   e) Bitte gurgeln!

4 „Meinetwegen kannst du den Schmuck kaufen!" Das heißt:
   a) Ich will, daß du dir den Schmuck kaufst.
   b) Ich möchte, daß du mir den Schmuck kaufst.
   c) Ich bin dagegen daß du den Schmuck kaufst.
   d) Mir ist es gleich, ob du den Schmuck kaufst oder nicht.
   e) Es wäre meiner Meinung nach gut, wenn du den Schmuck kauftest.

5 Wie geht das Sprichwort weiter? – Wer andern eine Grube gräbt, . . .
   a) dem ist nicht zu helfen
   b) studiert nicht gern
   c) der muß nehmen was übrig bleibt
   d) fällt selbst hinein
   e) findet auch ein Korn

6 *Das Gedächtnis, das Getränk, das Gefühl:* Nomen mit der Vorsilbe *Ge-* sind meist neutral. Finden Sie hier eine Ausnahme?
   a) Gebirge   d) Gebrauch
   b) Gepäck   e) Geräusch
   c) Gedicht

7 Was ist falsch?
   a) Es waren rund 200 Leute da.
   b) Es waren ungefähr 200 Leute da.
   c) Es waren zirka 200 Leute da.
   d) Es waren so um die 200 Leute da.
   e) Es waren etwas 200 Leute da.

8 „Er hat das schwierige Klavierstück einfach vom Blatt gespielt." Das heißt:
   a) Er hat es sehr gut gespielt.
   b) Er hatte es vorher noch nie gespielt.
   c) Er hat es sehr schlecht gespielt.
   d) Er hat das falsche Stück gespielt.
   e) Er hat es wenig differenziert gespielt.

9 Hilf deiner Schwester lieber im Garten, . . . hier herumzusitzen!
   a) bevor   d) statt
   b) um   e) ehe
   c) ohne

10 Er hat mich schon wieder beleidigt! Das lasse ich mir jetzt nicht mehr länger . . .
   a) passieren
   b) gehen
   c) gefallen
   d) tun
   e) machen

11 „Schmeckt das Gemüse nicht wunderbar?" – „Na, mir wäre ein Steak . . ."
   a) am besten
   b) lieber
   c) schöner
   d) besser
   e) gerner

12 Wenn jemand kurz und ziemlich unhöflich
   antwortet, sagt man, er sei . . .
   a) kurzgefaßt
   b) kurz angebunden
   c) kurz gesagt
   d) kurz und klein
   e) kurz zusammengefaßt

13 Der Hund ist an der . . .
   a) Bindung
   b) Linie
   c) Schnur
   d) Führung
   e) Leine

14 Ich muß diesen Brief noch schreiben, . . . ich
   nach Haus gehe.
   a) zuvor
   b) vor
   c) vorher
   d) davor
   e) bevor

15 Wenn Kinder sich über ihren *Pauker*
   unterhalten, meinen sie . . .
   a) ein Musikinstrument
   b) ihren Lehrer
   c) ein Sportgerät
   d) ein Spielzeug
   e) den Mann, der in einer Beatband
      das Schlagzeug spielt

Test 3

1 Was ist kein Gemüse?
   a) der Rosenkohl d) die Kohlmeise
   b) die Kohlrübe e) der Kohlrabi
   c) der Blumenkohl

2 In welchem Satz ist das Wort *ja* falsch
   angewendet?
   a) Ja, ich komme!
   b) Ich komme ja schon!
   c) Kommst du ja zu mir?
   d) Komm ja pünktlich nach Haus!
   e) Der Direktor erwartete mich, ja er
      kam mir sogar entgegen!

3. Was hat das Tier auf dem Rücken?
   a) einen Höcker
   b) einen Buckel
   c) eine Schwellung
   d) einen Auswuchs
   e) eine Wucherung

4 Was kann man nicht sagen? – Schon eine
. . . Menge des Giftes wirkt absolut tödlich.
   a) geringe
   b) ganz kleine
   c) wenige
   d) winzige
   e) verschwindende

5 In welchem Satz aus diesem Gespräch
zwischen Verkäufer und Kunden steckt ein
Fehler?
   a) Ich suche einen Cordanzug.
   b) Cordanzüge sind in diesem Jahr
      wieder moderne.
   c) Wie gefällt Ihnen dieser blaue
      hier?
   d) Ich hätte lieber einen grauen.
   e) Graue haben wir leider zur Zeit
      nicht.

6 Ein sehr reicher Mensch hat . . .
   a) Geld wie Heu
   b) Geld wie Gras
   c) Geld wie Sand
   d) Geld wie Korn
   e) Geld wie Stroh

7 Was hat sie im Strumpf?
   a) eine Laufmasche
   b) einen Treppenläufer
   c) einen Laufpaß
   d) einen Laufgang
   e) einen Läufer

8 Was ist richtig? – Bringst du die
Urlaubsfotos heute mit, . . . ?
a) oder noch nicht sind sie fertig
b) oder sie noch nicht fertig sind
c) oder sind sie noch nicht fertig
d) oder sie sind noch nicht fertig
e) oder noch nicht fertig sind sie

9 Was ist das?
a) ein Bogen
b) eine Binde
c) eine Schlinge
d) eine Öse
e) eine Schleife

10 Wo steckt der Fehler? – Ich würde gern das
Wagenfenster öffnen, . . .
a) wenn es Ihnen recht ist
b) sofern Sie einverstanden sind
c) wenn es Ihnen nichts ausmacht
d) wenn Sie nicht stören
e) wenn Sie nichts dagegen haben

11 Mein Gott, beeil dich doch, Walter, . . .
kommen wir zu spät zum Bahnhof!
a) dann
b) ohne
c) sonst
d) weil
e) denn

12 Was kann man nicht sagen? – Als der junge
   Mann sie anschaute, . . .
   a) rötete sie sich
   b) bekam sie einen roten Kopf
   c) wurde sie rot
   d) stieg ihr das Blut in die Wangen
   e) errötete sie

13 Der Mann meiner Schwester ist . . .
   a) mein Neffe
   b) mein Onkel
   c) mein Schwiegervater
   d) mein Schwager
   e) mein Vetter

14 Man betont: *'Hektik, 'Optik, 'Ethik,* aber
   eines der folgenden Wörter wird auf der
   zweiten Silbe betont. Welches?
   a) Klinik
   b) Tragik
   c) Technik
   d) Fabrik
   e) Logik

15 Wenn jemand sagt, er habe *Schwein
   gehabt,* meint er, er habe . . .
   a) Schweinefleisch gegessen
   b) eine gefährliche Situation ohne
      Schaden überstanden
   c) ein Schwein gekauft
   d) einen sehr unsympathischen
      Menschen getroffen
   e) etwas sehr Unangenehmes erlebt

Test 4

1 Die Spitze eines Baumes heißt . . .
   a) Wipfel
   b) Gipfel
   c) Zipfel
   d) Krönung
   e) Haupt

2 Was kann man nicht sagen?
   a) Es fängt an zu regnen.
   b) Es regnet weiter.
   c) Es hört auf zu regnen.
   d) Es beginnt zu regnen.
   e) Es beendet zu regnen.

3 Was kann man nicht sagen? – Viele
   Gefahren waren zu überstehen, aber das
   Gute siegte . . . doch.
   a) am Ende
   b) schließlich
   c) zu Ende
   d) endlich
   e) zuletzt

4 Der Betriebsrat wurde in einer freien und
   . . . Wahl gewählt
   a) geheimlichen
   b) heimlichen
   c) geheimnisvollen
   d) heimeligen
   e) geheimen

5 In welchem Satz steckt ein Fehler?
   a) Das Kloster ist etwa 3 km vom
      Stadtrand entfernt.
   b) Bist du etwa krank?
   c) Ich bin ganz sicher, daß er etwa
      von dieser Sache weiß.
   d) Mach das ja nicht etwa noch
      einmal, mein Lieber!
   e) Hast du ihm das etwa geglaubt?

6 Ich habe es ihm lang und . . . erklärt,
   aber er hat es trotzdem nicht ver-
   standen.
   a) weit
   b) hoch
   c) breit
   d) länger
   e) kurz

7 Was ist falsch?
   a) Trotz mehrerer Anfragen bekamen
      wir keine Information.
   b) Obwohl wir mehrmals anfragten,
      bekamen wir keine Information.
   c) Wir fragten mehrmals an,
      trotzdem bekamen wir keine
      Information.
   d) Wir fragten mehrmals an, obwohl
      wir keine Information bekamen.
   e) Wir fragten mehrmals an, aber wir
      bekamen keine Information.

8 Es war schön am See,
aber die Mücken
haben mich ganz . . .
a) bestochen
b) erstochen
c) zerstochen
d) durchstochen
e) gestochen

9 Welcher Baum trägt keine Früchte?
a) der Pfirsichbaum
b) der Purzelbaum
c) der Pflaumenbaum
d) der Kirschbaum
e) der Apfelbaum

10 Was ist falsch? – Er hatte das Gedicht
gestern nicht gelernt, . . .
a) und natürlich er konnte es heute
nicht.
b) und konnte es heute natürlich
nicht.
c) und heute konnte er es natürlich
nicht.
d) und er konnte es heute natürlich
nicht.
e) und natürlich konnte er es heute
nicht.

11 ,,Das Zimmer ist wirklich gemütlich!'' –
Welches Wort entspricht *gemütlich* am
besten?
- a) komfortabel
- b) bequem
- c) elegant
- d) luxuriös
- e) behaglich

12 Ein Pfund Erdbeeren, bitte sehr! Wünschen
Sie . . . noch etwas, mein Herr?
- a) sonst
- b) von
- c) dabei
- d) gerade
- e) für

13 Was kann man nicht *treffen?*
- a) Maßnahmen
- b) Überlegungen
- c) Entscheidungen
- d) Vereinbarungen
- e) Abkommen

14 Was ist keine *Note*?
- a) ein Geldschein
- b) eine kurze schriftliche
  Aufzeichnung
- c) ein Tonzeichen
- d) ein Schreiben eines Staates an
  einen anderen
- e) eine Zensur in der Schule

15 „. . . so gut und hol mir mal meine Brille!"
   a) Bist
   b) Sei
   c) Sein
   d) Seien
   e) seid

Test 5

1 Eine Wespe oder eine Biene hat einen . .
   a) Dorn   d) Stich
   b) Stecher   e) Stachel
   c) Stichling

2 Diese Wörter sind Synonyme von *gehen*.
   Welches bedeutet *im Wasser gehen*?
   a) watscheln
   b) waten
   c) kriechen
   d) schlendern
   e) trotten

3 Welches Wort schreibt man nicht mit
   Doppel-*m*?
   a) sammeln
   b) gesammt
   c) zusammen
   d) versammelt
   e) Sammlung

4 „Ein Mann muß mutig sein, hart, kraftvoll –
   eben männlich'', meint Frau Gestrig, „aber
   die jungen Männer von heute mit ihren
   langen Haaren sind doch richtig . . . ''
   a) weiblich
   b) fraulich
   c) damenhaft
   d) weibisch
   e) beweibt

5 Was kann man nicht sagen?
   a) Es scheint ihr endlich wieder
      besser zu gehen.
   b) Es hat den Anschein, daß es ihr
      nun wieder besser geht.
   c) Es scheint so aus, als ginge es ihr
      jetzt wieder besser.
   d) Es sieht so aus, als ob es ihr
      endlich wieder besser ginge.
   e) Es sieht so aus, als ginge es ihr
      endlich wieder besser.

6 Sind Sie ein . . . dieses Vereins?
   a) Teilnehmer
   b) Mitglied
   c) Teilhaber
   d) Angehöriger
   e) Beteiligter

7 Was geschieht mit der Nuß?
   a) Sie wird geteilt.
   b) Sie wird geknackt.
   c) Sie wird entkernt.
   d) Sie wird geschält
   e) Sie wird zerdrückt.

8 Wie läuft ein Mensch, der sich am Fuß
   verletzt hat?
   a) Er hüpft.   d) Er hinkt.
   b) Er trippelt.   e) Er schlendert.
   c) Er watet.

9 Diese Bibel hier habe ich vorige Woche . . .
   erstanden.
   a) veraltet   d) altmodisch
   b) antiquiert   e) antiquarisch
   c) unmodern

10 Du glaubst nicht, was für einen Hunger ich
   habe! Mir . . . der Magen!
   a) schreit   d) bellt
   b) weint   e) knurrt
   c) brummt

11 Was kann man nicht *stellen*?
   a) einen Antrag
   b) Vorbereitungen
   c) Bedingungen
   d) Fragen
   e) eine Diagnose

12 Eine *Steckdose* ist . . .
   a) eine Schale zum Arrangieren von
      Blumen
   b) ein Gemüse
   c) die Beschreibung einer Person, die
      die Polizei sucht
   d) eine verschließbare Dose
   e) eine Anschlußstelle für elektrische
      Geräte

13 Was ist falsch?
   a) Er hat gehorchen müssen.
   b) Er muß gehorcht haben.
   c) Er hat es wissen gemußt.
   d) Er muß hier gewesen sein.
   e) Er müßte doch schon hier sein.

14 Meine Vorlesungen beginnen erst . . .
   dritten Oktober.
   a) im
   b) am
   c) den
   d) vom
   e) zum

15 . . . er kam, war die Party sehr langweilig.
   a) Zuvor
   b) Vordem
   c) Davor
   d) Vor
   e) Bevor

Test 6

1 Welches Wort ist falsch getrennt?
   a) Hal-te-stel-le
   b) Ver-ant-wor-tung
   c) ein-sil-big
   d) An-ge-stell-ter
   e) Ar-beit-samt

2 Was könnte am ehesten einen
schmetternden Klang von sich geben?
   a) der Sturm
   b) der Hagel
   c) ein Revolver
   d) eine Trompete
   e) ein elektrischer Bohrer

3 Das ist ein . . .
   a) Fingerzeig
   b) Fingerdruck
   c) Daumendrücken
   d) Fingerabdruck
   e) Zeigefinger

4 Welches Wortpaar gehört nicht zusammen?
   a) Unterdruck – Überdruck
   b) Untersetzer – Übersetzer
   c) unterschreiten – überschreiten
   d) Unterbelichtung – Überbelichtung
   e) unterbieten – überbieten

5 Was kann man nicht sagen?
   a) Allmählich wurde die Hitze
      unerträglich.
   b) Allmählich ließ sich die Hitze kaum
      mehr ertragen.
   c) Allmählich war die Hitze untragbar.
   d) Allmählich konnte man die Hitze
      nicht mehr ertragen.
   e) Allmählich war die Hitze nicht
      mehr zu ertragen.

6 Mit einer Ausnahme kann man all das von einem Menschen sagen, mit dem man schwer Kontakt bekommt:
   a) Er ist zugeknöpft.
   b) Er ist zugeschlossen.
   c) Er ist verschlossen.
   d) Er ist abweisend.
   e) Er läßt keinen an sich herankommen.

7 Die Schiffe eines Landes oder einer Reederei heißen zusammen die . . .
   a) Flotte
   b) Gruppe
   c) Truppe
   d) Schiffahrt
   e) Matrosen

8 Die Löcher in der Nase eines Menschen heißen:
   a) Nüstern
   b) Nasenlöcher
   c) Lüfter
   d) Ventilatoren
   e) Schnupfer

9 „Das Experiment ist *schiefgegangen.*" – Das heißt:
   a) Es ist geglückt.
   b) Es hat sich nicht gelohnt.
   c) Es war unnötig.
   d) Es ist nicht gelungen.
   e) Es ist nicht durchgeführt worden.

10 Was sagt er sicher nicht?
   a) Ein Päckchen Tabak, bitte!
   b) Eine Schachtel Streichhölzer!
   c) Eine Kiste Zigarren, bitte!
   d) Ein Paket Zigaretten!
   e) Eine Stange Zigaretten, bitte!

11 Ein Doppel-*e* ist im allgemeinen ein
   langes e. Aber einmal trifft das hier nicht zu!
   a) Beet
   b) reell
   c) Speer
   d) verheerend
   e) Klee

12 Die Wörter *Lauf, Mündung, Bett, Ufer* und
   Quelle haben alle mit . . . zu tun.
   a) Gewehren
   b) dem Schlafen
   c) Informationsmöglichkeiten
   d) Flüssen
   e) dem Sport

13 Mir kann niemand etwas vormachen! Ich
   habe diesen Betrüger sofort . . .
   a) durchgeblickt
   b) durchsehen
   c) durchschaut
   d) durchgesehen
   e) durchgeschaut

14 Bitte kauf du den Wein für unsere Party! Ich
   kann mich nicht auch noch darum . . .
   a) sorgen
   b) beschäftigen
   c) denken
   d) kümmern
   e) besorgen

15 „Und wie ging das Rennen aus?" – „Es gab
   ein . . . "
   a) Kopf-bei-Kopf-Rennen
   b) Kopf-zu-Kopf-Rennen
   c) Kopf-um-Kopf-Rennen
   d) Kopf-an-Kopf-Rennen
   e) Kopf-neben-Kopf-Rennen

Test 7

1 Wie heißt das Sprichwort? „Träume
sind . . ."
   a) Träume
   b) Bäume
   c) Räume
   d) Säume
   e) Schäume

2 Der Mann benutzt . . .
   a) einen Ständer
   b) eine Krücke
   c) einen Spazierstock
   d) einen Wanderstab
   e) einen Beistand

3 Wo steckt der Fehler?
   a) An wen denkst du? An deine
      Eltern?
   b) Auf wen wartest du? Auf den Bus?
   c) Zu wem gehst du? Zu deiner
      Tante?
   d) Für wen kaufst du das? Für deine
      Freundin?
   e) Mit wem fährst du? Mit Peter?

4 In dieser Fabrik werden Möbel . . .
   a) vorgestellt
   b) eingestellt
   c) angestellt
   d) abgestellt
   e) hergestellt

5 Was ruft er?
   a) Schließlich kommst du!
   b) Am Ende kommst du!
   c) Zu Ende kommst du!
   d) Endlich kommst du!
   e) Am Schluß kommst du!

6 Alle diese Dinge können *frisch* sein: in welchem Fall aber ist *nicht frisch = welk*?
   a) frischer Wind
   b) frischer Salat
   c) frische Butter
   d) frische Handtücher
   e) frischer Fisch

7 Obwohl ihn mehrere Zeugen erkannten, hat
der Angeklagte die Tat . . .
   a) verweigert   d) gestanden
   b) abgelehnt   e) geleugnet
   c) verneint

8 Was kann man nicht sagen?
   a) Machen Sie sich keine Sorgen!
   b) Machen Sie sich keine Umstände!
   c) Machen Sie sich keine Gedanken
      darüber!
   d) Machen Sie sich keine Illusionen!
   e) Machen Sie sich keine
      Bemühungen!

9 Das Gegenteil von *harmlos* ist . . .
   a) harmvoll   d) stark
   b) gefährlich   e) harmonisch
   c) abgehärmt

10 Welches Wort paßt nicht in die Reihe?
   a) Geschichte
   b) Antlitz
   c) Visage
   d) Angesicht
   e) Gesicht

11 Worin „wohnt" man auf einem
Campingplatz?
   a) Im Schlafwagen
   b) In einem Zelt
   c) In einem Schlafsack
   d) In einer Scheune
   e) In einer Hütte

12 Alle diese Ausdrücke bis auf einen
    bedeuten *sterben.* Finden Sie die
    Ausnahme?
    a) entschlafen
    b) die Augen für immer schließen
    c) den letzten Atemzug tun
    d) hinübergehen
    e) den Atem anhalten

13 Was ist falsch?
    a) Ich habe ein persönliches Interesse
        an diesem Konzert.
    b) Sind Sie in diesem Komponisten
        interessiert?
    c) Ich interessiere mich sehr für
        moderne Musik.
    d) Diese Art von Musik finde ich
        wenig interessant.
    e) Er ist sehr daran interessiert, eine
        Konzertkarte zu bekommen.

14 Das Gegenteil von *geizig* ist . . .
    a) sparsam
    b) hilfsbereit
    c) freigiebig
    d) dumm
    e) nachgiebig

15 Er schaltet das Fernsehen ein, . . . die
    Tagesschau zu sehen.
    a) weil
    b) um
    c) für
    d) damit
    e) dafür

Test 8

1 Wir fahren am Wochenende *mit Kind und
. . .* ins Grüne.
   a) Wagen
   b) Koffer
   c) Hund
   d) Kegel
   e) Katze

2 Das ist . . .
   a) ein Puffer
   b) ein Auspuff
   c) ein Ausstoß
   d) ein Dampfer
   e) ein Vergaser

3 Wo heißt es nicht *machen*, sondern *tun*?
   a) Willst du dich über mich lustig
      machen?
   b) Das Kind macht mir wirklich
      Sorgen.
   c) Er hat doch tatsächlich das
      Unmögliche möglich gemacht!
   d) Wir werden unser Möglichstes
      machen, um Ihnen zu helfen.
   e) Darf ich Sie mit meiner Schwester
      bekannt machen?

4 Was kann man nicht schneiden?
   a) die Nägel
   b) Gesichter
   c) Haare
   d) die Kurve
   e) die Preise

5 Welcher Sprecher hat das schlechteste
   Urlaubswetter gehabt? – Das Wetter dort
   war . . .
   a) gräßlich
   b) herrlich
   c) einigermaßen
   d) ganz passabel
   e) erträglich

6 Wenn ein Weg sehr kurz ist, sagt man, es ist
   nur . . .
   a) ein Holzweg
   b) eine Nasenlänge
   c) eine Armlänge
   d) eine Haaresbreite
   e) ein Katzensprung

7 Was ist richtig?
   a) So waren ein großer Teil der
      Einwohner nicht informiert.
   b) So war einen großen Teil der
      Einwohner nicht informiert.
   c) So waren einen großen Teil der
      Einwohner nicht informiert.
   d) So war ein groß Teil der
      Einwohner nicht informiert.
   e) So war ein Großteil der Einwohner
      nicht informiert.

8 Wo ist das Wort *Anhänger* nicht richtig?
   a) Sie trug eine Kette mit einem
      Anhänger aus Bernstein.
   b) Fahrzeuge mit Anhänger dürfen
      nur 80 Stundenkilometer fahren.
   c) Die zahlreichen Anhänger des 1.
      FC Kaiserslautern jubelten ihrer
      Mannschaft zu.
   d) Im Anhänger zu der Biographie
      finden Sie die Lebensdaten des
      Komponisten.
   e) Die Anhänger der Sekte verehrten
      ihren Gründer als Gott.

9 Welche Redensart bedeutet *seine Meinung
   deutlich sagen*?
   a) ein gutes Blatt haben
   b) kein Blatt vor den Mund nehmen
   c) vom Blatt spielen
   d) Das Blatt hat sich gewendet.
   e) Das steht auf einem anderen
      Blatt.

10 Wenn Sie länger als 3 Monate in der
   Bundesrepublik bleiben wollen, müssen Sie
   eine Aufenthaltserlaubnis . . .
   a) bitten
   b) bestellen
   c) beantragen
   d) fragen
   e) betragen

11 Was tut sie? – Sie hängt die Wäsche auf
   die . . .
   a) Linie
   b) Zeile
   c) Reihe
   d) Stricke
   e) Leine

12 Ihr müßt alle mithelfen, damit wir fertig
   werden! Also: Werner brät die Steaks,
   Mario macht den Salat fertig, und ich decke
   . . . den Tisch
   a) während
   b) dabei
   c) dazwischen
   d) zeitweilig
   e) inzwischen

13 Sei so nett und . . . mir mal beim
   Abwaschen!
   a) hilf
   b) helfen Sie
   c) helft
   d) helfe
   e) hilfst du

14 Bald müssen wir alle von hier Abschied . . .
   a) nehmen
   b) geben
   c) sagen
   d) machen
   e) haben

15 Es ist noch unsicher, . . . ich mitfahren kann.
   a) wenn
   b) ob
   c) als
   d) daß
   e) damit

Test 9

---

1 Wenn jemand eine *Berliner Weiße mit Schuß* bestellt, bekommt er . . .
   a) Kaffee mit Schlagsahne
   b) Weißkäse mit Pfeffer
   c) Weißwürste mit Kraut
   d) Weizenbier mit Fruchtsaft
   e) ein Milchmixgetränk mit Alkohol

2 Darüber müßte man einmal Überlegungen . . .
   a) ansetzen   d) antreten
   b) anlegen   e) anhalten
   c) anstellen

3 Welches Haar ist am wenigsten glatt?
   a) lockiges Haar
   b) gelocktes Haar
   c) krauses Haar
   d) welliges Haar
   e) straffes Haar

4 Ich wollte die Antwort sagen, . . .
   a) aber plötzlich wußte ich sie nicht
      mehr.
   b) aber sie wußte plötzlich nicht
      mehr.
   c) aber ich sie plötzlich nicht mehr
      wußte.
   d) aber wußte ich plötzlich nicht
      mehr.
   e) aber wußte ich sie plötzlich nicht
      mehr.

5 Ein startendes Flugzeug, das den Boden
   verläßt, . . .
   a) geht ab   d) nimmt ab
   b) fährt ab   e) springt ab
   c) hebt ab

6 Was kann man nicht?
   a) Nachrichten verbringen
   b) Nachrichten senden
   c) Nachrichten verbreiten
   d) Nachrichten überbringen
   e) Nachrichten übermitteln

7 Was sagt sie zu ihm? –
   „Geh doch nicht so . . .!"
   a) ungerade
   b) gebogen
   c) verneigt
   d) gebückt
   e) krumm

8 Im . . . mit der Spionageaffäre wurde ein
   Mitarbeiter des Ministeriums verhaftet.
   a) Zusammenhalt
   b) Zusammenbruch
   c) Zusammenhang
   d) Zusammenwirken
   e) Zusammentreffen

9 Ich habe noch so viel Arbeit!
   Wahrscheinlich werde ich erst Mitte . . .
   Woche kommen können.
   a) in der
   b) die
   c) von der
   d) eine
   e) der

10 Es dauert immer sehr lange, bis Fritz etwas
   versteht; er . . .
   a) sitzt am längeren Hebel
   b) hat den längeren Atem
   c) hat eine lange Leitung
   d) weiß, wo es lang geht
   e) schiebt alles auf die lange Bank

11 Alle fünf Wörter haben zwei verschiedene
   Bedeutungen, nur bei einem hilft uns der
   Artikel erkennen, welche Bedeutung
   gemeint ist.
   a) Bank
   b) Leiter
   c) Schloß
   d) Schimmel
   e) Strauß

12 Er hat das Licht schon wieder brennen
   lassen, . . . ich ihn gebeten hatte, es
   auszumachen, wenn er weggeht.
   a) ob
   b) trotz
   c) dabei
   d) wie
   e) obwohl

13 Ich habe dieses Ereignis schon lange
   kommen . . .
   a) sehen
   b) gewußt
   c) bemerkt
   d) gedacht
   e) erwartet

14 „Habe ich alles richtig ausgefüllt?" – „Ja,
   jetzt . . . Sie das Formular nur noch zu
   unterschreiben."
   a) müssen
   b) ist
   c) brauchen
   d) sollen
   e) dürfen

15 Woher ich das weiß? Aber das hat doch in
   allen Zeitungen . . . !
   a) gesagt
   b) geschrieben
   c) gesetzt
   d) gestanden
   e) gewesen

Test 10

1 Ein Muttermal ist . . .
   a) ein Denkmal für alle Mütter
   b) eine Art Schraubenzieher
   c) eine angeborene Hautveränderung
   d) ein Orden für Mütter mit vielen
      Kindern
   e) das Mittagessen am Muttertag

2 Wenn jemand sein Examen nur knapp
   bestanden hat, sagt man, er habe es . . .
   bestanden.
   a) Knall und Fall
   b) mit Ach und Krach
   c) mit Weh und Ach
   d) mit Hangen und Bangen
   e) mit Hinz und Kunz

3 Die Farben eines Stoffes können durch
   intensives Licht oder vieles Waschen . . .
   a) blassen
   b) erblassen
   c) verblassen
   d) erbleichen
   e) bleichen

4 Welches Wort paßt nicht in die Reihe?
   a) Bratsche   d) Cello
   b) Geige   e) Kontrabaß
   c) Gitarre

5 Was kann man nicht sagen?
   a) Sooft es klingelte, erschrak sie
      furchtbar.
   b) Immer wenn es klingelte, erschrak
      sie furchtbar.
   c) Jedesmal wenn es klingelte,
      erschrak sie furchtbar.
   d) Wenn es klingelte, erschrak sie
      jedesmal furchtbar.
   e) Wenn es klingelte, erschrak sie
      sooft furchtbar.

6 Bei der Auswahl ihrer Mitglieder legt die
   Gesellschaft sehr strenge Maßstäbe . . .
   a) an
   b) ab
   c) auf
   d) hin
   e) aus

7 Das Gegenteil von *loben* ist . . .
   a) tadeln
   b) hassen
   c) verbessern
   d) verachten
   e) ablehnen

8 Marion ist mit iher Ausbildung fertig und
   arbeitet seit dem 1. 4. . . . . Programmiererin.
   a) wie
   b) bei
   c) als
   d) für
   e) eine

9 ,,Ich komme einfach nicht dazu, diesen Brief
zu beantworten." Das heißt:
a) Ich habe keine Zeit.
b) Ich denke, es ist nicht nötig.
c) Ich habe keine Lust.
d) Es ist nicht meine Aufgabe.
e) Ich glaube, es ist nicht leicht.

10 Statt ,,Du willst dich wohl über mich lustig
machen?" sagt man auch:
a) Du willst mir wohl dein Herz
ausschütten?
b) Du willst mich wohl auf den Arm
nehmen?
c) Du willst mir wohl die
Hammelbeine langziehen?
d) Du willst mich wohl um den
kleinen Finger wickeln?
e) Du willst mir wohl um den Bart
gehen?

11 Das Messer ist scharf – Was ist das
Gegenteil? Es ist . .
a) stumm   d) mild
b) dumpf   e) stumpf
c) weich

12 Die Sitzung mußte wiederholt . . ., weil die
Hälfte der Abgeordneten gefehlt hatte.
a) sein
b) worden
c) werden
d) gewesen sein
e) worden sein

13 Michael bringt heute seine Bekannte mit,
   . . . er uns schon ein paarmal erzählt hat.
   a) von der   d) von denen
   b) über die   e) wovon
   c) davon

14 Sie hat zunächst sechs Semester in
   Tübingen studiert und dann . . . in Paris.
   a) noch zwei Jahre
   b) zwei Jahre mehr
   c) zwei Jahre weiter
   d) zwei Jahre dazu
   e) zwei mehr Jahre

15 Ich habe ihm klipp und . . . meine Meinung
   gesagt.
   a) klapp   d) klug
   b) klein   e) knapp
   c) klar

Test 11

1 Die Theateraufführung wurde in allen
  Kritiken . . .
  a) verrissen
  b) abgerissen
  c) entrissen
  d) durchgerissen
  e) ausgerissen

2 Ein Polizeiauto zum Transport von
festgenommenen Personen heißt . . .
  a) grüne Emma
  b) grüner Heinrich
  c) grüne Anna
  d) grüne Minna
  e) grüner Otto

3 Was ist falsch?
  a) Es hat lange Jahre gedauert, bis
     ich es konnte.
  b) Es hat so manches Jahr gedauert,
     bis ich es konnte.
  c) Es hat viele Jahre gedauert, bis ich
     es konnte.
  d) Es hat Jahr für Jahr gedauert, bis
     ich es konnte.
  e) Es hat eine Reihe von Jahren
     gedauert, bis ich es konnte.

4 Man fädelt den Faden in . . .
  a) das Nadelöhr
  b) das Nadelauge
  c) das Nadelloch
  d) das Nadelohr
  e) die Nadellücke

5 Welche Redensart bedeutet: Er hat seinen
   Beruf aufgegeben? Er hat seinen Beruf . . .
   a) übers Knie gebrochen
   b) in die Tasche gesteckt
   c) unter den Teppich gekehrt
   d) an den Nagel gehängt
   e) hinter den Spiegel gesteckt

6 Wir hätten fast einen Zusammenstoß
   gehabt! Ich habe mich noch nicht . . . erholt.
   a) bei dieser Aufregung
   b) von dieser Aufregung
   c) für diese Aufregung
   d) zu dieser Aufregung
   e) vor dieser Aufregung

7 Der *Nihilist*, der *Kapitalist*, der *Imperialist*,
   der *Fatalist* – diese Wörter sind maskulin,
   aber in der folgenden Reihe ist ein
   feminines versteckt! Finden Sie es?
   a) Idealist   d) Cellist
   b) Journalist   e) Sozialist
   c) Hinterlist

8 In welchem Satz wird das *ja* betont
   gesprochen?
   a) Das ist ja unglaublich!
   b) Ich verehre, ja ich liebe ihn!
   c) Ich bin ja dafür, Energie zu sparen,
      aber auf mein Auto verzichte ich
      nicht.
   d) Laß dich ja nicht noch einmal hier
      sehen!
   e) Du hast ja schon wieder Zucker
      genascht!

9 Das Sprichwort sagt; „Wer andern . . .
gräbt, fällt selbst hinein."
a) ein Loch
b) ein Grab
c) eine Höhle
d) eine Grube
e) einen Graben

10 „Es ist alles in Butter." Das heißt:
a) Es wird nur mit Butter gekocht.
b) Es glänzt alles vor Sauberkeit.
c) Es ist alles verloren.
d) Alles geht sehr schlecht.
e) Es ist alles in Ordnung.

11 Welches Wort ist der Oberbegriff für die
anderen vier?
a) Kabeljau
b) Fisch
c) Forelle
d) Karpfen
e) Hering

12 Hmm! Diese Suppe ist aber . . .
a) geschmackvoll
b) geschmacklich
c) schmackhaft
d) geschmacklos
e) geschmeckt

13 Weil ich nicht studiert habe wie er, sieht er
auf mich . . .
a) abwärts   d) herab
b) ab   e) unter
c) nieder

14 Was ist falsch?
   - a) Der Antrag auf ein Stipendium
     muß am 1. 12. vorliegen.
   - b) Der Antrag auf ein Stipendium muß
     bis zum 1. 12. eingereicht werden.
   - c) Der Antrag auf ein Stipendium muß
     bis zum 1. 12. eingegangen werden.
   - d) Der Antrag auf ein Stipendium muß
     bis zum 1. 12. abgegeben werden.
   - e) Das Stipendium muß bis zum
     1. 12. beantragt werden.

15 Ein Wort reimt sich nicht auf die anderen!
   - a) der Kuß   d) der Gruß
   - b) der Schluß   e) der Bus
   - c) die Nuß

Test 12

---

1 „Ich habe Herrn Schmitt ja so lange nicht
   mehr gesehen. Was macht er eigentlich?" –
   „Wissen Sie das nicht? *Er sitzt!*" Das heißt:
   - a) Er hat einen Sitz im Aufsichtsrat
     einer Firma.
   - b) Er hat einen Sitz im Parlament
     bekommen.
   - c) Er ist in einer Sitzung.
   - d) Er ist im Gefängnis.
   - e) Er hat eine sitzende Beschäftigung.

2 Die erste Rede, die ein Abgeordneter im
   Bundestag hält, nennt man seine . . .
   a) Jungfernrede
   b) Mädchenrede
   c) Fräuleinrede
   d) Jungfrauenrede
   e) Maidenrede

3 Welches Wortpaar reimt sich?
   a) Jahre – Starre
   b) Starre – Karree
   c) Karree – Haare
   d) Haare – Jahre
   e) Karree – Jahre

4 Wenn jemand sein Examen nicht bestanden
   hat, sagt man, er ist . . . durchgefallen.
   a) mit Pauken und Trompeten
   b) mit Trommeln und Pfeifen
   c) mit Harfen und Geigen
   d) mit Klavier und Schlagzeug
   e) mit Sang und Klang

5 Finden Sie den Fehler?
   a) Ehe ich die Frage beantworte, muß
      ich darüber denken.
   b) Der Kandidat überlegte lange,
      bevor er antwortete.
   c) Sie grübelte stundenlang über der
      Aufgabe.
   d) Er überdachte seinen Entschluß
      noch einmal.
   e) Sie dachte über die seltsame
      Antwort nach.

6 Welcher Ausdruck hat eine völlig andere
   Bedeutung als die anderen?
   a) ein Gesetz brechen
   b) ein Gesetz verabschieden
   c) ein Gesetz verletzen
   d) ein Gesetz übertreten
   e) ein Gesetz umgehen

7 Was der Redner sagte, hatte . . .
   a) weder Hand noch Fuß
   b) weder Reim noch Rhythmus
   c) weder Schwanz noch Kopf
   d) weder Kopf noch Schwanz
   e) weder Kopf noch Fuß

8 Was sagt die Nachbarin? – Ach, ist die
   Kleine . . . !
   a) reizend
   b) reizbar
   c) gereizt
   d) reizlos
   e) reizvoll

9 Den männlichen Löwen erkennt man an
   seiner . . .
   a) Frisur
   b) Behaarung
   c) Perücke
   d) Mähne
   e) Haartracht

10 Wenn Sie einen Wunsch haben, . . . Sie
mich nur zu rufen.
   a) müssen
   b) brauchen
   c) dürfen
   d) haben
   e) können

11 Nordrhein-Westfalen ist . . .
   a) ein Bundesland
   b) eine Republik
   c) eine Landschaft
   d) ein Bundesstaat
   e) eine Gemeinde

12 In welchem Fall muß ich am längsten
warten? „Der Direktor ist in einer Sitzung.
Sie müssen sich noch . . . gedulden.''
   a) ein bißchen
   b) einen Moment
   c) etwas
   d) ein wenig
   e) eine Weile

13 Was tun die Sportler? Sie . . .
   a) stechen   d) ringen
   b) säbeln   e) schlagen
   c) fechten

14 An deiner Stelle . . . ich mir die Haare
   wieder lang wachsen lassen.
   a) soll   d) würde
   b) will   e) werde
   c) habe

15 Ich kann mich . . . Klima hier einfach nicht
   gewöhnen!
   a) zu dem   d) für das
   b) an das   e) auf das
   c) mit dem

Test 13

1 Wenn einer endlos redet, sagt man, er
   kommt . . .
   a) vom Regen in die Traufe
   b) von der Hand in den Mund
   c) vom Hundertsten ins Tausendste
   d) von Pontius zu Pilatus
   e) von heute auf morgen

2 Welche Äußerung ist negativ?
   a) Er ist lustig.
   b) Er ist heiter.
   c) Er ist fröhlich.
   d) Er ist lächerlich.
   e) Er ist optimistisch.

3 Was ist richtig?
   a) Je der Redner lauter schrie, desto
      verstand man ihn weniger.
   b) Je lauter der Redner schrie, desto
      weniger verstand man ihn.
   c) Je der Redner lauter schrie,
      verstand man ihn desto weniger.
   d) Je schrie der Redner lauter,
      verstand man ihn desto weniger.
   e) Je lauter schrie der Redner, desto
      weniger man ihn verstand.

4 Was kann man nicht vergießen?
   a) Milch
   b) Zucker
   c) Tränen
   d) Blut
   e) Wasser

5 In welchem Satz hat *umsonst* die
   Bedeutung *kostenlos*?
   a) Umsonst bemühten wir uns, ihn
      von seinem Vorhaben
      abzubringen.
   b) Alle Anstrengungen der Ärzte
      waren umsonst: der Verletzte
      starb.
   c) Wir hatten uns umsonst aufgeregt,
      denn das Flugzeug landete ohne
      Schwierigkeiten.
   d) Seine jahrelange Arbeit war
      umsonst gewesen.
   e) Der Karussellbezitzer ließ die
      Kinder umsonst mitfahren.

6 Ich lerne jetzt Tag und Nacht, denn nächste
   Woche muß ich eine Prüfung . . .
   a) ablegen   d) abnehmen
   b) abmachen   e) absetzen
   c) abstehen

7 Ein Sprichwort sagt: *Lügen haben . . .*
   Beine!
   a) krumme   d) hübsche
   b) dünne   e) lange
   c) kurze

8 Eine Bürste hat . . .
   a) Haare
   b) Fäden
   c) Borsten
   d) Grannen
   e) Stacheln

9 Die Organisation der Arbeitnehmer heißt:
   a) Mannschaft
   b) Gesellschaft
   c) Wirtschaft
   d) Gewerkschaft
   e) Wissenschaft

10 Wenn du in den letzten Wochen mehr . . .,
   brauchtest du jetzt vor der Prüfung keine
   Angst zu haben.
   a) arbeitest
   b) gearbeitet hättest
   c) arbeiten würdest
   d) arbeitetest
   e) gearbeitet hast

11 Meine Aufenthaltserlaubnis ist abgelaufen;
ich hoffe aber, daß sie um ein Jahr . . . wird!
   a) verlängert
   b) erlaubt
   c) länger
   d) gegeben
   e) wiederholt

12 Er hat mich beleidigt, denn er hat . . .
genannt.
   a) mir einen Dummkopf
   b) mich eine Dummkopf
   c) mich einen Dummkopf
   d) mir ein Dummkopf
   e) mich einem Dummkopf

13 Welcher Satz ist richtig?
   a) Ich habe ihn gebeten, um mir bei
      der Arbeit zu helfen.
   b) Ich habe ihn gebeten, daß er mir
      dabei helfen.
   c) Ich habe ihn um mir dabei zu
      helfen gebeten.
   d) Ich habe ihn um daß er mir hilft
      gebeten.
   e) Ich habe ihn gebeten, mir dabei zu
      helfen.

14 Was ist denn los? Du bist ja ganz . . . Atem!
   a) ohne
   b) vom
   c) außer
   d) unter
   e) aus dem

15 Was ist eine Blüte, bevor sie sich öffnet?
   a) ein Stengel
   b) ein Halm
   c) ein Beet
   d) eine Knospe
   e) ein Strauß

Test 14

1 Ein *unverfrorener* Mensch ist jemand,
  der . . .
   a) selten friert
   b) ein warmes Herz hat
   c) niemals unter Kälte leidet
   d) sehr frech ist
   e) im Augenblick nicht friert

2 Nach 20 Jahren wurde der Juwelenraub
  aufgeklärt, doch da war die Tat schon . . .
   a) verjährt   d) jahrelang
   b) bejahrt   e) mehrjährig
   c) angejahrt

3 Was ist falsch? – „Herr Müller, ich bin mit
  Ihrer Arbeit . . . zufrieden!"
   a) ganz und gar nicht
   b) voll und ganz nicht
   c) in keiner Weise
   d) überhaupt nicht
   e) absolut nicht

4 Was ruft der Matrose?
   a) Land im Anblick!
   b) Land in Aussicht!
   c) Land im Ausguck!
   d) Land im Augenschein!
   e) Land in Sicht!

5 Ein gegebenes Versprechen muß man
   auch . . .
   a) nehmen
   b) behalten
   c) tragen
   d) halten
   e) bekommen

6 Beim Lächeln bekommen manche Leute . . .
   in den Backen.
   a) Höhlen
   b) Löcher
   c) Grübchen
   d) Dellen
   e) Tiefpunkte

7 *Dämmerung* ist die Zeit . . .
   a) kurz bevor die Sonne aufgeht
   b) kurz nachdem die Sonne untergegangen ist
   c) kurz nachdem die Sonne aufgegangen ist
   d) kurz vor Sonnenaufgang und nach Sonnenuntergang
   e) kurz vor Sonnenuntergang

8 Welcher Sprecher erklärt, daß er kein Geld mehr hat?
   a) Ich sitze auf glühenden Kohlen.
   b) Ich sitze auf dem trockenen.
   c) Ich sitze zwischen zwei Stühlen.
   d) Ich sitze ganz schön in der Tinte.
   e) Ich sitze hinter schwedischen Gardinen.

9 In welcher Reihe steht ein Wort, das nicht dazugehört?
   a) Silber – silbern – silbrig
   b) Eisen – eisern – eisig
   c) Holz – hölzern – holzig
   d) Glas – gläsern – glasig
   e) Seide – seiden – seidig

10 Der Angeklagte wollte vor Gericht nichts sagen. Er . . . die Aussage.
   a) verneinte
   b) versagte
   c) leugnete
   d) negierte
   e) verweigerte

11 Dieser Teil des Rades heißt . . .
 a) Speiche
 b) Speicher
 c) Radius
 d) Radiator
 e) Verbinder

12 Schau mal, wie viele Pfützen auf den
 Straßen stehen! Es muß stark . . ., während
 wir weg waren!
 a) regnen
 b) geregnet
 c) regnen haben
 d) regnen werden
 e) geregnet haben

13 Als Mitglied unserer Partei müßten Sie
 monatlich . . . von DM 10,– zahlen.
 a) einen Beitrag
 b) eine Steuer
 c) eine Miete
 d) eine Spende
 e) eine Gebühr

14 Sie hat ihr Studium 1980 mit dem
 Staatsexamen . . .
 a) geendet
 b) abgefertigt
 c) geschlossen
 d) zugemacht
 e) abgeschlossen

15 Er kommt bestimmt, denn er hat es mir
hoch und . . . versprochen.
   a) tief
   b) höher
   c) breit
   d) heilig
   e) lang

Test 15

---

1 Wenn jemand nicht besonders klug ist, sagt
man, . . .
   a) er ist kein Kirchenlicht
   b) er ist kein Kirchenleuchter
   c) er ist keine Kirchenmaus
   d) er ist kein Kirchgänger
   e) er ist kein Kirchenschiff

2 Was paßt nicht in die Reihe?
   a) Schneeflocken
   b) Eisbein
   c) Eiszapfen
   d) Rauhreif
   e) Eisblumen

3 Wo steckt der Fehler?
   a) Wir wiederholen jetzt den
      Wetterbericht.
   b) Können Sie Ihre Frage bitte noch
      einmal wiederholen?
   c) Das Konzert wird wegen des
      großen Erfolges am Sonntag
      wiederholt.
   d) Der Hund wiederholte den Stock,
      den sein Herr geworfen hatte.
   e) Wegen wiederholten
      Falschparkens wurde ihm der
      Führerschein entzogen.

4 Alle diese Vögel sind in Deutschland
   heimisch, aber einer davon hat auch einer
   Augenkrankheit den Namen gegeben.
   Welcher?
   a) Amsel   d) Star
   b) Drossel   e) Meise
   c) Fink

5 Mit 65 Jahren tritt ein Beamter in . . .
   a) die Ruhestätte d) das Stilleben
   b) die Stillzeit   e) den Ruhestand
   c) die Ruhezeit

6 Welche Decke möchten Sie in Ihrem Bett
   haben?
   a) die Schneedecke
   b) die Steppdecke
   c) die Balkendecke
   d) die Zimmerdecke
   e) die Wolkendecke

7 Gehen Sie ruhig zum Chef und bitten Sie
ihn um eine Gehaltserhöhung. Er ist heute
gut . . .
   a) eingelegt
   b) abgelegt
   c) umgelegt
   d) angelegt
   e) aufgelegt

8 *Windjammer* nennt man . . .
   a) das Geheul des Sturmes
   b) ein großes Segelschiff
   c) das Gefühl nach Alkoholgenuß
   d) eine sportliche Jacke
   e) einen Wirbelsturm

9 Wer hustet und niest, ist . . .
   a) kalt
   b) erkaltet
   c) gekühlt
   d) gefroren
   e) erkältet

10 (Dieser Satz steht in . . .)
   a) Bogen
   b) Anführungszeichen
   c) Klammern
   d) Gedankenstrichen
   e) Haken

11 Was bedeutet die Redensart: *Das Blatt hat sich gewendet!*?
   a) Es ist kälter geworden.
   b) Eine Zeitung hat die Meinung gewechselt.
   c) Es ist Herbst, und die Blätter fallen.
   d) Die Lage hat sich entscheidend geändert.
   e) Das gehört nicht zu unserem Thema.

12 Wo steckt der Fehler?
   a) Der Streit wurde schnell beigelegt.
   b) Sie hat schon 5 kg abgenommen.
   c) Der Redner war schlecht vorgebereitet.
   d) Er hat das Gesuch schon befürwortet.
   e) Das Schiff ist untergegangen.

13 Die Kinder, die zu der Hexe ins Pfefferkuchenhaus kamen, hießen . . .
   a) Hänschen und Gretchen
   b) Hans und Grete
   c) Johannes und Margarethe
   d) Johann und Margret
   e) Hänsel und Gretel

14 Welche dieser Erhebungen ist gewöhnlich aus Sand?
   a) der Hügel   d) die Düne
   b) der Fels   e) die Klippe
   c) der Berg

15 Statt *Ich habe das jetzt satt!* kann man auch
   sagen:
   a) Mir ist Hören und Sehen
      vergangen.
   b) Das geht mir durch Mark und Bein.
   c) Das hängt mir zum Hals heraus.
   d) Ich habe reinen Tisch gemacht.
   e) Es ist fünf Minuten vor zwölf.

Antworten

Antworten

Test 1

1 **d**

2 **e.** Eine *Pflegemutter* (") sorgt für ein fremdes Kind,
das keine Mutter hat oder dessen Mutter krank ist.
Eine *Adoptivmutter* (") nimmt ein fremes Kind als ihr
eigenes an, das dann auch ihren Familiennamen
erhält. Die *Schwiegermutter* (") ist die Mutter des
Ehepartners.

die *Schrauben-
mutter* (-n)

3 **c.** Richtig: . . . *(nicht) so . . . wie . . .*

4 **c.** Man sagt *kleine Kinder, große Kinder* (nicht „alte"
oder „junge Kinder").

5 **b.** *schleichen* (schlich, ist geschlichen): Er schlich
durchs Zimmer, um sie nicht zu wecken. *kriechen*
(kroch, ist gekrochen) = sich langsam auf dem Boden
bewegen: Eine Schnecke kroch über den Weg. *hinken*
(hinkte, ist gehinkt) = den Fuß nachziehen, weil er
schmerzt oder verletzt ist. *stampfen* (stampfte, ist
gestampft) = laut und schwerfällig gehen. *hüpfen*
(hüpfte, ist gehüpft) = sich in kleinen Sprüngen
fortbewegen: Die Kinder hüpften auf einem Bein.

6 **c** = Was man leicht und mühelos erwirbt, verliert
man auch leicht wieder.

7 **a.** die *Pfütze* (-n): Nach einem Regen stehen überall
kleine Pfützen auf der Straße; der *Teich* = kleiner See;
der See (-n) = größeres stehendes Gewässer im
Binnenland: der Bodensee, der Chiemsee; *die See* =
das Meer; der *Ozean* (-e) = großes Meer.

8 **d.** Richtig: Ein Gewitter bricht *los*.

9 **b.** Ich habe ihn auf der Straße *gesehen*: ich habe ihn
privat *besucht*; ich habe ihn *angerufen* = mit ihm
telefoniert; ich habe mich für einen späteren Termin
beim Arzt *angemeldet*.

10 **e.** Man *versteckt sich* oder *verbirgt sich*, damit man
nicht gesehen wird; man *hält sich fest,* um nicht zu
fallen; *entgegnen* = antworten.

11 **e.** *welche* ist hier der Plural von *einer, eine, eins* ohne
folgendes Nomen.

12 **a.** *rechteckig* ist ein Viereck mit 4 rechten Winkeln
(90°); b, d und e gibt es nicht.

13 **e.** Die Geschwindigkeit mißt man mit einem
Tachometer oder *Geschwindigkeitsmesser*, die
Temperatur mit einem *Thermometer*, das Gewicht mit
einer *Waage,* die Lautstärke mit einem *Phonometer*.

14 **b.** Richtig: der *Glaube*; ebenso der *Wille*, der
Gedanke, der *Name*.

15 **e**

Test 2

1 **b.** *unabsehbare* Folgen = Folgen, die sich nicht
voraussehen lassen; *unbesehen* (= ohne es sich
angesehen zu haben) sollte man nichts kaufen oder
unterschreiben; *unübersichtlich* sind manche
Straßenkreuzungen, an denen dann oft Unfälle
passieren; was *unsichtbar* ist, kann man nicht sehen;
was aber *unübersehbar* ist, muß jeder sehen, weil es
so groß oder so deutlich ist.

2 **e**

3 **c.** Wenn der Zahnarzt dies sagt, *gießt* er Wasser in ein Glas. Sie *spülen* damit den Mund *aus* und *spucken* das Wasser ins Becken; das Wasser *rinnt* dann in den Abfluß. Wenn man Halsschmerzen hat, *gurgelt* man.

4 **d.** *meinetwegen* = Ich habe nichts dagegen; mir ist es gleich, was du tust.

5 **d.** Hier die anderen Sprichwörter: *Wem nicht zu raten ist, dem ist nicht zu helfen. – Ein voller Bauch studiert nicht gern. – Wer nicht kommt zur rechten Zeit, der muß nehmen, was übrigbleibt. – Ein blindes Huhn findet auch ein Korn.*

6 **d.** Richtig: *der Gebrauch.*

7 **e.** Richtig: Es waren *etwa* 200 Leute da.

8 **b.** Er spielte es zum ersten Mal und konnte es gleich richtig spielen.

9 **d**

10 **c.** *sich etwas (nicht) gefallen lassen* = etwas dagegen tun.

11 **b**

12 **b.** *kurzgefaßt:* Er hat sich am Telefon kurzgefaßt = er hat nur das Wichtigste gesagt; *kurz gesagt, kurz zusammengefaßt* = etwas ausführlich Gesagtes kurz wiederholt; *kurz und klein schlagen* = in kleine Stücke zerschlagen, zerstören.

13 **e**

14 **e.** *bevor* ist eine Nebensatzkonjunktion, *vor* eine Präposition + Dativ, *zuvor, vorher* und *davor* sind Zeitadverbien.

15 **b.** *Pauker* werden vor allem langweilige, unbeliebte Lehrer genannt.

Test 3

1 **d.** Die *Kohlmeise* ist ein Vogel.

2 **c.** Durch *ja* kann Zustimmung, Bejahung ausgedrückt werden (a). Es dient aber auch zur Betonung: b = beruhigende Antwort auf ungeduldige Aufforderung;

d = nachdrückliche Aufforderung mit warnendem Unterton; e= Ausdruck einer Steigerung. In der Frage kommt betonendes *ja* nicht vor (c).

3 **a** der *Höcker* (-) ist ein Merkmal des Kamels; der *Buckel* (-), die *Schwellung* (-en), der *Auswuchs* ("e), die *Wucherung* (-en) sind anormale, krankhafte Erscheinungen.

4 **c**

5 **b.** Richtig: . . . sind wieder *modern*.

6 **a.** Ein anderes Bild für im Überfluß Vorhandenes ist: . . . *wie Sand am Meer*.

7 **a.** Ein *Treppenläufer* ist ein schmaler langer Teppich auf den Stufen einer Treppe. Sie hat ihrem Freund den *Laufpaß* gegeben = sie hat sich von ihm getrennt, sie hat die Freundschaft beendet. Im Zirkus führt ein *Laufgang* vom Löwenkäfig in die Arena. Ein *Läufer* = 1. jemand, der läuft (Skiläufer, Langstreckenläufer), 2. langer, schmaler Teppich, z. B. in einem Korridor.

8 **c.** *oder* verändert die Wortstellung des Folgesatzes nicht:

Sind sie noch nicht fertig?
. . . *oder* sind sie noch nicht fertig?

9 **e.** der *Bogen* (-) = gekrümmte Linie oder etwas, das die Form einer gekrümmten Linie hat, z. B.: der Torbogen = Wölbung über einem Tor. Er hatte sich den Arm gebrochen und mußte ihn in der *Binde* (= Verband) tragen.

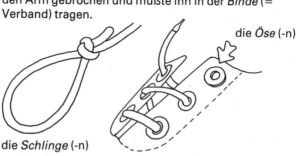

die *Öse* (-n)

die *Schlinge* (-n)

10 **d.** Richtig . . ., *wenn es Sie nicht stört.*

11 **c**

12 **a.** Möglich ist: . . . , *röteten sich ihre Wangen.*

13 **d.** der *Neffe* = Sohn des Bruders oder der Schwester; der *Onkel* = Bruder des Vaters oder der Mutter; der *Schwiegervater* = Vater des Ehepartners; der *Vetter* = Sohn eines Onkels oder einer Tante.

14 **d.** Ebenso: die *Mu'sik,* die *Phy'sik,* die *Kri'tik.*

15 **b.** Der Wagen hat sich zweimal überschlagen, aber der Fahrer hat *Schwein gehabt:* ihm ist überhaupt nichts passiert.

Test 4

1 **a.** der *Gipfel* = Spitze eines Berges; der *Zipfel* = Ecke eines Tuches oder eines Kleidungsstücks (Hemdzipfel, Zipfelmütze = spitz zulaufende Mütze); die *Krönung* 1. Feierlichkeit zur Einsetzung eines Königs oder Kaisers; 2. Höhepunkt eines Ereignisses; das *Haupt* = 1. der Kopf; 2. der Anführer, der Leitende.

2 **e.** *beenden* braucht immer ein Akkusativobjekt: Er beendete die Arbeit; *anfangen* = beginnen; *fortfahren* = weitermachen; *aufhören* = Schluß machen.

3 **c.** *zu Ende* = beendet: Wann war der Film zu Ende?

4 **e.** a gibt es nicht; *heimlich* tut man etwas, was nicht erlaubt ist, damit es niemand sieht; *geheimnisvoll* = nicht erklärbar, rätselhaft, er tut geheimnisvoll = er tut so, als hätte er ein Geheimnis; *heimelig* = vertraut, gemütlich, behaglich; *geheim* = so, daß es andern verborgen bleibt, der Öffentlichkeit nicht bekannt wird: ein geheimes Abkommen.

5 **c.** Richtig: *etwas; etwa* = 1. ungefähr: etwa 3 km; 2. (in einer Frage) = ich hoffe das Gegenteil (b und e); 3. drohend: *ja nicht etwa* = wehe, wenn du das tust! (d).

6 **c**

7 **d**

8 **c.** *bestechen* = durch Geschenke beeinflussen: Der Zeuge war bestochen und sagte die Unwahrheit; *erstechen* = mit einem Messer oder einem Dolch töten; *durchstechen* = einen Gegenstand

durchbohren; *stechen*: von einer Mücke *gestochen* sein = einen Mückenstich haben, ganz *zerstochen* sein = viele Mückenstiche haben.

9 **b.** Übung beim Bodenturnen.

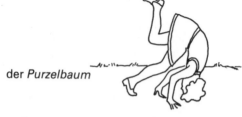

der *Purzelbaum*

10 **a.** Richtig: ... und *(er)* konnte es ...
   ... und heute konnte er es ...
   ... und natürlich konnte er es ...
11 **e.** *bequem* = praktisch und angenehm; *komfortabel* = bequem und vornehm; *elegant* = modisch, schick; *luxuriös* = kostspielig, verschwenderisch.
12 **a.** *sonst* = außerdem.
13 **b.** Richtig: *Überlegungen anstellen.*
14 **b.** Richtig: *Notiz.*
15 **b**

Test 5

1 **e.** Rosen haben *Dornen.* Der *Stich* einer Wespe ist sehr schmerzhaft. Der *Stichling* ist ein Fisch. b gibt es nicht.
2 **b.** *watscheln* = wie eine Ente gehen; *kriechen* = sich langsam am Boden fortbewegen, wie z. B. eine Schnecke; *schlendern* = ohne festes Ziel und ohne Eile gehen; *trotten* = schwerfällig, müde gehen.
3 **b.** Richtig: *gesamt.*
4 **d.** *weibisch* = (verächtlich) wie eine Frau; *weiblich* Gegensatz zu *männlich; fraulich* = wie eine reife Frau, mütterlich; *damenhaft* = wie eine Dame, vornehm; *beweibt* = (scherzhaft) verheiratet.

5 **c**

6 **b.** ein *Teilnehmer* an einer Veranstaltung, z. B. an einem Wettkampf; der *Teilhaber* = Mitinhaber einer Firma; der *Angehörige* = der Verwandte; der *Beteiligte* = der an einer Sache oder einer Handlung beteiligt ist.

7 **b.** *teilen* = in mehrere Teile zerlegen; *entkernen* = den nicht eßbaren Kern aus Früchten entfernen; *schälen* = die Schale entfernen von Bananen, Orangen, Äpfeln usw.; *zerdrücken* = durch Druck zerkleinern.

8 **d.** *hüpfen* = sich in kleinen Sprüngen fortbewegen; *trippeln* = sehr kleine Schritte machen; *waten* = durch Wasser gehen; *schlendern* = gemächlich, lässig-vergnügt gehen.

9 **e.** *veraltet* = *antiquiert* = nicht mehr zeitgemäß, nicht mehr im Gebrauch, nicht mehr üblich; *unmodern* = nicht mehr der Mode entsprechend; *altmodisch* = nach früherer Mode und Sitte: altmodische Kleidung, ein altmodischer Mensch.

10 **e**

11 **b.** Richtig: Vorbereitungen *treffen*.

12 **e.**

die *Steckdose* (-n)   die *Steckrübe* (-n)

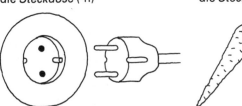

Ein *Steckbrief* (-e) ist die Beschreibung einer von der Polizei gesuchten Person.

13 **c.** Richtig: *Er hat es wissen müssen.*

14 **b**

15 **e**

Test 6

1 **e.** Richtig: Ar-beits-amt.
2 **d**
3 **d.** ein *Fingerzeig* = ein Hinweis, ein Tip; ein
   Fingerdruck = Druck mit einem Finger auf einen
   Knopf, um ein Gerät ein- oder auszuschalten;
   jemandem *die Daumen drücken* (oder: die Daumen
   halten) = jemandem Glück wünschen: Drück mir die
   Daumen für mein Examen! Der *Zeigefinger* ist der
   Finger neben dem Daumen, mit ihm zeigt man auf
   etwas.
4 **b.** Eine Kaffeekanne, ein Blumentopf steht auf einem
   'Untersetzer; ein *Über'setzer* überträgt einen Text aus
   einer Sprache in die andere. Beachten Sie die
   Betonung der beiden Wörter!
   Unterdruck/Überdruck = zu niedriger/zu hoher Druck;
   eine vorgeschriebene Geschwindigkeit *unterschreiten/
   überschreiten* = langsamer/schneller fahren als
   vorgeschrieben; *Unterbelichtung/Überbelichtung* = zu
   kurze/zu lange Belichtung beim Fotografieren; einen
   Preis *unterbieten/überbieten* = weniger/mehr bieten,
   als gefordert wird.
5 **c.** Schmerzen, Hitze, Kälte, Lärm können *unerträglich*
   sein; *untragbar* nennt man einen Zustand, der
   unbedingt geändert werden muß, oder eine Person,
   deren Verhalten man nicht zulassen kann.
6 **b.** Richtig nur konkret, z. B.: Die Tür ist *zugeschlossen.*
7 **a.** eine *Gruppe* = mehrere zusammengehörige
   Personen; die *Truppe* = Teil des Heeres, die *Truppen*
   = das Heer; die *Schiffahrt* = der Verkehr auf
   Gewässern; *der Matrose* = der Seemann.
8 **b**
9 **d**
10 **d.** Richtig: Eine *Schachtel* Zigaretten. Eine *Stange*
   Zigaretten enthält 10 Packungen.
11 **b.** Man spricht: *re-'ell.*
12 **d.** der *Lauf* eines Flusses = sein Weg von der *Quelle*

bis zur *Mündung*; die *Ufer* des Flusses begrenzen das
Flußbett zu beiden Seiten.

13 **c**

14 **d**

15 **d** = der Sieger hatte nur einen knappen Vorsprung.

Test 7

1 **e.** = Träume spiegeln nur etwas vor, sie sind nicht
wirklich.

2 **b.** ein *Ständer* = Gestell, an, in oder mit dem man
etwas aufstellt: Fahrradständer, Schirmständer, oder
an dem man etwas aufhängt: Kleiderständer;
Spazierstock, Wanderstab = Stock oder Stab als
Stütze beim (Spazieren)Gehen oder Wandern;
jemandem *Beistand* leisten = jemandem helfen.

3 **b.** Richtig: *Worauf* wartest du? – Bei Verben mit
Präpositionen werden die Fragen nach Sachen mit
wo(r) + Präposition gebildet.

4 **e.** *vorstellen* = bekannt machen, zeigen; *einstellen* =
1. jemandem einen Arbeitsplatz geben, 2. mit einer
Arbeit aufhören, weil sie zwecklos ist; *anstellen*
= jemandem einen Arbeitsplatz in einem Büro geben;
abstellen = 1. abschalten (Motoren, Apparate); 2.
wegstellen 3. (einen Übelstand abstellen) = beseiti-
gen.

5 **d.** *endlich* drückt aus, daß man lange auf jemanden
oder etwas gewartet hat.

6 **b**

7 **e.** = er behauptet, daß er es nicht getan habe;
Gegenteil: *gestehen*; wer eine Aussage *verweigert*,
will nicht antworten; *verneinen* = auf eine Frage
„nein" sagen; eine Tat *ablehnen* = sagen, daß man
das nicht tun wird oder würde.

8 **e.** Richtig = *Machen* Sie *sich* keine *Mühe/ Bemühen*
Sie *sich* nicht!

9 **b.** a gibt es nicht; Gegensätze: *gefährlich* – ungefährlich, harmlos; *stark* – schwach, *harmonisch* – unhar-
monisch; *abgehärmt* = von Sorgen gezeichnet.

10 **a.** *Geschichte* = 1. Erzählung, 2. Historie; *Angesicht,
Antlitz* (gehobene Sprache), *Visage* (abfällig) =
Gesicht.

11 **b.** *Schlafwagen* = Eisenbahnwagen mit Abteilen mit
einem oder mehreren Betten; in einem *Schlafsack*
kann man im Freien oder im Zelt übernachten; die
Scheune = Gebäude zum Aufbewahren von Getreide,
Futter, Heu usw.; die *Hütte* = einfaches kleines
(Holz)Haus.

12 **e.** *den Atem anhalten* = absichtlich oder vor Erregung
vorübergehend aufhören zu atmen.

13 **b.** Richtig: *an* etwas interessiert sein.

14 **c.** *geizig* = übertrieben oder krankhaft sparsam;
sparsam = umsichtig mit seinem Geld umgehend;
Gegenteil von *dumm*: klug; von *nachgiebig*:
unnachgiebig, starrsinnig.

15 **b**

Test 8

1 **d.** *mit Kind und Kegel* = mit der ganzen Familie
(*Kegel* nannte man früher ein uneheliches Kind; diese
Bedeutung ist heute fast ganz vergessen, *Kegel* ist
heute die Bezeichnung für eine Figur beim Kegelspiel,
das mit neun Kegeln und einer Kugel gespielt wird).

2 **b.** der *Puffer* = Stoßdämpfer zwischen Eisenbahnwa-
gen; der *Ausstoß* = 1. Anstechen (Öffnen) eines
Bierfasses, 2. Produktionsmenge einer Fabrik; der
Dampfer = dampfgetriebenes Schiff; der *Vergaser* =
Teil eines Verbrennungsmotors.

3 **d**

4 **e.** Richtig: Preise *herabsetzen*.

5 **a.** *gräßlich* = furchtbar, sehr schlecht; *erträglich,
einigermaßen* = nicht sehr schön, aber auch nicht zu
schlecht; *ganz passabel* = recht gut; *herrlich* =
wunderschön, sehr gut.

6 **e.** *auf dem Holzweg sein* = auf dem falschen Weg sein; *um eine Nasenlänge gewinnen* = ganz knapp, mit einem ganz kleinen Vorsprung gewinnen; *um Haaresbreite* = beinahe, es hätte nicht viel gefehlt (und es wäre ein Unglück geschehen); c gibt es nicht in übertragener Bedeutung.

7 **e.** ein *Großteil* (oder ein *großer Teil*) war . . .

8 **d.** Richtig: im *Anhang* (eines Buches).

9 **b.** *ein gutes Blatt haben* = (beim Kartenspiel) gute Karten in der Hand haben; *vom Blatt spielen* = ein Musikstück ohne vorheriges Üben spielen; *das Blatt hat sich gewendet* = es ist alles ganz anders geworden; *das steht auf einem anderen Blatt* = das ist eine andere Geschichte, das hat nichts damit zu tun.

10 **c**

11 **e**

12 **e**

13 **a.** *seien Sie* so nett und *helfen Sie* . . , *seid* so nett und *helft* . . .

14 **a**

15 **b**

Test 9

1 **d**

2 **c**

3 **c.** *straffes Haar* = ganz glatt gekämmt oder gebürstet; *gelockt* = lockig, oft in Zusammensetzungen: blond-gelockt.

welliges Haar   *lockiges Haar*   *krauses Haar*

4 **a.**   Plötzlich wußte ich sie nicht mehr.
. . ., aber plötzlich wußte ich sie nicht mehr.
oder:

Ich wußte sie plötzlich nicht mehr.
. . ., aber ich wußte sie plötzlich nicht mehr.

5 **c**

6 **a.** Radio und Fernsehen *senden* Nachrichten.
Nachrichten *verbreiten* = sie mündlich oder schriftlich
weitergeben; eine Nachricht telefonisch, telegrafisch,
im Brief oder mündlich *übermitteln;* eine Nachricht
persönlich *überbringen* (mündlich oder schriftlich).

7 **e.** *krumm* = aus Nachlässigkeit gebückt; *ung(e)rade*
Zahlen: 1, 3, 5, usw.; *gebogen* (von Gegenständen)
nicht g(e)rade, in Bogenform (z. B. ein Rohr); *sich
verneigen* = bei der Begrüßung den Kopf oder den
Oberkörper neigen; *gebückt* geht jemand, der krank
oder schwach ist.

8 **c**

9 **e.** *Mitte der* Woche/*des* Monats / *des* Jahres (zeitlich);
aber: *in der Mitte* des Kreises / der Stadt (räumlich).

10 **c.** *am längeren Hebel sitzen* = im Vorteil sein, mehr
Macht haben; *den längeren Atem haben* = länger
durchhalten können; *wissen, wo es langgeht* = die
Richtung kennen; wissen, wie man sich verhalten
muß; *etwas auf die lange Bank schieben* = etwas nicht
gleich erledigen, es von einem Tag auf den anderen
verschieben.

11 **b.** *der Leiter* (-) = der Chef (Betriebsleiter), der Führer
(Expeditionsleiter).

die Leiter (-n)

die Bank (-en) = Geldinstitut, *die Bank (¨e)* = Möbel zum
Sitzen; *das Schloß (¨sser)* = 1. Palast, 2. Schloß zum
Verschließen einer Tür; *der Schimmel* (-) = 1. weißes

Pferd; 2. weißlicher Pilzüberzug, z. B. bei Käse; *der Strauß (¨e)* = zusammengebundene Blumen, *der Strauß (-e)* = großer Laufvogel, der nicht fliegen kann.

12 **e**

13 **a**

14 **c.** Sie *müssen* es (nur) *unterschreiben.*
    Sie *brauchen* es nur *zu unterschreiben.*

15 **d**

Test 10

1 **c**

2 **b.** *mit Ach und Krach* = mit großer Mühe; *Knall und Fall* = ganz plötzlich und unerwartet: er kündigte Knall und Fall; *mit Weh und Ach* = laut klagend; *mit Hangen und Bangen* = ängstlich, mit großer Sorge; *Hinz und Kunz* = jedermann, die verschiedensten Leute, oft etwas abfällig.

3 **c.** *verblassen* = schwächer, heller werden (Farben); *erblassen, erbleichen* = blaß, bleich werden: Er erbleichte vor Schreck; Wäsche oder Haare *bleichen* = durch die Sonne oder Chemikalien heller machen; a gibt es nicht.

4 **c.** Die *Gitarre* ist ein Zupfinstrument, die anderen sind Streichinstrumente, die man mit einem Bogen streicht.

5 **e.** *sooft* (1 Wort!) kann als Konjunktion nur am Anfang des Satzes stehen, es bedeutet: immer wenn, jedesmal wenn; aber: Ich habe das schon so oft (= so viele Male) gesagt!

6 **a**

7 **a.** Gegensätze *hassen* – lieben; *verbessern* – verschlechtern; *verachten* – achten; *ablehnen* – annehmen.

8 **c**

9 **a**

10 **b.** *sein Herz ausschütten* = alles offen aussprechen, was einen bewegt oder bedrückt; *ihm die Hammelbeine langziehen* = ihn sehr streng behandeln; *jemanden um den kleinen Finger wickeln* = ihn dazu bringen, alles zu tun, was man möchte; *jemandem um den Bart gehen* = ihm schmeicheln.

11 **e.** Gegensätze: *stumm* – gesprächig; *dumpf* – hell (Geräusch); *weich* – hart; *mild* – streng.

12 **c**

13 **a**

14 **a**

15 **c.** = bestimmt und deutlich.

Test 11

1 **a.** Eine Aufführung *verreißen* = eine sehr schlechte Kritik darüber schreiben; einen *Knopf* von der Jacke *abreißen*; ein *Haus abreißen* = es abbrechen (z. B. um Platz für einen Neubau zu machen); *jemandem etwas entreißen* = plötzlich überraschend fortnehmen: der Dieb entriß ihm die Tasche; *durchreißen* = in zwei Teile zerreißen: Sie riß den Vertrag durch und warf ihn fort; *ausreißen* 1. = gewaltsam herausreißen: er *hat* eine Seite aus dem Buch *ausgerissen*, 2. = weglaufen, entfliehen: der Junge *ist* von zu Hause *ausgerissen*.

2 **d.** „Der grüne Heinrich" ist ein Roman des Schweizer Dichters Gottfried Keller: a, c und e sind keine feststehenden Begriffe.

3 **d.** *Jahr für Jahr* = jedes Jahr wieder: Jahr für Jahr fuhren sie im Urlaub in den Schwarzwald.

4 **a.** b – e gibt es nicht.

5 **d.** *etwas übers Knie brechen* = etwas übereilt tun, ohne richtig zu überlegen; *jemanden in die Tasche stecken* = mehr können, als er; *etwas* (Unangenehmes) *unter den Teppich kehren* = es verstecken, nicht bekannt werden lassen; *sich etwas hinter den Spiegel stecken* = aus einer unangenehmen Erfahrung lernen.

6 **b.** *sich erholen von* + Dat.

7 **c.** *die Hinterlist* (hinter + List) = Heimtücke, unerwartete Bosheit; die anderen Wörter sind Fremdwörter mit der Endung *-ist*.

8 **d.** In diesem Satz ist *ja* drohend oder warnend gebraucht. Die Hauptbetonung in den anderen Sätzen: Das ist ja un'glaublich . . ., ja ich 'liebe ihn. Ich bin ja 'auch dafür, . . . Du hast ja schon 'wieder . . .

9 **d.** *Grube* hier = Falle (in Gruben fingen vorzeitliche Jäger Tiere).

10 **e**

11 **b**

12 **c.** *schmackhaft* ist, was gut schmeckt; eine *geschmackvoll* eingerichtete Wohnung zeigt, daß ihr Besitzer Geschmack (Sinn für Schönes) hat; *geschmacklich* = dem Geschmack nach: die beiden Äpfel unterscheiden sich geschmacklich nur wenig; *geschmacklos* = ohne Geschmack.

13 **d**

14 **c.** Richtig: . . . *eingegangen sein*.

15 **d.** der *Kuß*, der *Schluß*, die *Nuß*, der *Bus* mit kurzem *u*, aber: der *Gruß* mit langem *u*.

Test 12

1 **d**

2 **a.** Entsprechend heißt die erste Fahrt eines Schiffes Jungfernfahrt.

3 **d.** *Jahre, Haare* mit langem *a*; *Starre* mit kurzem *a*; *Karree* mit kurzem *a* und auf der zweiten Silbe betont.

4 **a.** *mit Pauken und Trompeten* = völlig, ganz und gar, ironisch gemeint: eigentlich begrüßt man einen Sieger oder Erfolgreichen mit Pauken und Trompeten; *mit Sang und Klang* = mit Gesang und Instrumentalmusik; *sang- und klanglos* = ohne Ruhm und Erfolg: Sang- und klanglos verschwand er; b – d haben keine besondere übertragene Bedeutung.

5 **a.** Richtig: . . . , muß ich *darüber nachdenken*;
überlegen = nachdenken; *grübeln über eine(r) Sache*
= ergebnislos darüber nachdenken, auch: sich trübe
Gedanken machen; *etwas überdenken* = noch einmal
darüber nachdenken.

6 **b.** das Parlament *verabschiedet* ein Gesetz = erklärt
es für gültig; ein Gesetz *brechen/verletzen/übertreten*
= etwas tun, was das Gesetz verbietet; ein Gesetz
umgehen = einen Weg finden, Verbotenes zu tun,
ohne dafür bestraft werden zu können.

7 **a.** *weder Hand noch Fuß haben* = keinen Sinn
ergeben.

8 **a.** *reizend* =hübsch, anziehend, Gegensatz: *reizlos*;
reizbar = leicht zu reizen, leicht in Zorn zu versetzen;
gereizt = ärgerlich, zornig; *reizvoll* =verlockend,
Gegensatz: *reizlos*.

9 **d.** *Mähne* = langes Haar beim Löwen, Pferd; beim
Menschen = langes, ungepflegtes Haar; *Frisur,
Haartracht* = Art und Weise, wie man das Haar trägt:
Damenfrisur, Herrenfrisur; *Behaarung* = Haarwuchs:
Körperbehaarung; *Perücke* = Haarersatz, Zweitfrisur.

10 **b**

11 **a.** Die Bundes*republik* besteht aus zehn
Bundesländern; *Landschaft* = Gebiet, das eine
natürliche Einheit bildet: Gebirgslandschaft,
Küstenlandschaft; *Bundesstaat* = Staat, dessen
Gliedstaaten zum Teil ihre Selbständigkeit behalten;
Gemeinde = kleinste Selbstverwaltungseinheit.

12 **e.** *ein Moment* = sehr kurze Zeit; *ein bißchen/etwas/
ein wenig* (Zeit) = nicht sehr lange; *eine Weile* =
längere Zeit.

13 **c**

14 **d.** Ratschläge beginnen oft: *An deiner Stelle würde
ich . . .*

15 **b.** *sich gewöhnen an* + Akk.

Test 13

1 **c.** *vom Regen in die Traufe kommen* = aus einer
schlechten Situation in eine noch schlimmere geraten;
von der Hand in den Mund leben = so wenig
verdienen, daß man gleich alles wieder für seinen
Lebensunterhalt ausgeben muß; *von Pontius zu
Pilatus laufen* = von einer Stelle zur andern laufen, um
etwas zu erreichen: Ich bin von Pontius zu Pilatus
gelaufen, um alle Papiere für meine Reise zu
bekommen; *von heute auf morgen* = unerwartet
schnell.

2 **d.** *lächerlich* ist jemand, der andern unabsichtlich
Anlaß gibt, über ihn zu lachen; ein *lustiger* Mensch
lacht gern und bringt andere mit Späßen zum Lachen;
fröhlich oder *heiter* ist ein Mensch, der das Leben
bejaht, gern singt und lacht und sich nicht die
Stimmung verderben läßt; *optimistisch* ist, wer von
der Zukunft Gutes erwartet.

3 **b.** *Je* Komparativ . . . Verb, *desto* Komparativ Verb . . .
Je mehr ich nachdachte, *desto* weniger fiel mir ein.

4 **b.** Zucker, Mehl, Grieß, Salz kann man verschütten.
Tränen vergießen = heftig weinen; *Blut vergießen* =
(einen) Menschen verletzen oder töten.

5 **e.** In Satz a, b und d bedeutet *umsonst* „vergeblich",
in Satz c heißt es „unnötig".

6 **a**

7 **c.** *Lügen haben kurze Beine* = man kommt nicht weit
damit.

8 **c.** ein Pelz oder Fell besteht aus *Haaren*, ein Stoff aus
Fäden, ein Schwein hat *Borsten*, Getreideähren haben
Grannen, der Igel hat *Stacheln*.

die *Grannen*    die *Stacheln*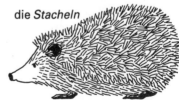

9 **d.** *Mannschaft* = Einheit von Kämpfern, z. B. im
Sport: Fußballmannschaft; *Gesellschaft* = 1.
Vereinigung von Menschen, die in den Grundzügen
ihres Handelns und Denkens übereinstimmen, z. B. die
moderne Industriegesellschaft; 2. Vereinigung von
Personen, die einen vertraglich festgelegten Zweck
erreichen wollen, z. B. eine Handelsgesellschaft;
Wirtschaft = 1. Ökonomie, 2. Haushalt, 3. Lokal,
Gastwirtschaft; *Wissenschaft* = ein geordnetes,
folgerichtig aufgebautes, zusammenhängendes
Gebiet von Erkenntnissen.

10 **b.** Die Vergangenheit wird irreal stets mit dem
Partizip Perfekt + *hätte/wäre* gebildet: Wenn ich doch
gearbeitet hätte! Wenn wir doch *gefahren wären!*

11 **a**

12 **c.** *nennen* hat 2 Akkusative!

13 **e**

14 **c**

15 **d.** Eine Blume steht auf einem *Stengel*; Stengel von
Gras oder Getreide heißen *Halme*; Blumen wachsen
im Garten in einem *Beet*; schön zusammengebundene
Blumen sind ein *Strauß*.

Test 14

1 **d**

2 **a.** *verjährt* = nicht mehr strafbar; *bejahrt* = ziemlich
alt; *angejahrt* (ironisch) = bejahrt; *jahrelang* =
mehrere Jahre dauernd, mehrere Jahre hindurch: Ich
habe jahrelang gespart, bis ich mir die Kamera kaufen
konnte; *mehrjährig* (in Verbindung mit einem Nomen)
= mehrere Jahre dauernd: Er kam von einer
mehrjährigen Reise zurück.

3 **b.** *voll und ganz* ist immer positiv: Ich bin voll und
ganz mit seiner Leistung zufrieden.

4 **e.** der *Anblick* = das, was man vor sich sieht, das
Aussehen; die *Aussicht* = 1. der ungehinderte Blick in
die Weite, 2. die Hoffnung für die Zukunft: Er hat eine

gute Stellung in Aussicht; der *Ausguck* =
Beobachtungsplatz am Mast eines Schiffes, auf der
Höhe eines Berges usw.; etwas in *Augenschein*
nehmen = sich etwas genau ansehen.

5 **d**

6 **c.** die *Höhle(-n)* = Hohlraum in Bergen, Bäumen oder
in der Erde; das *Loch* (¨er) = Öffnung: ein Loch in der
Wand, im Strumpf, in der Erde, im Eimer; die *Delle* (-n)
(umgangssprachlich) Vertiefung: eine Delle im Blech
des Autos; der *Tiefpunkt* (-e) = der tiefste Punkt: er
war mit seiner Gesundheit auf einem Tiefpunkt = es
ging ihm sehr schlecht.

7 **d**

8 **b.** *auf dem trockenen sitzen* = in einer ausweglosen
Lage sein, kein Geld haben; *wie auf glühenden Kohlen
sitzen* = in großer Unruhe auf jemanden oder etwas
warten, in einer sehr unangenehmen Lage sein; *sich
zwischen zwei Stühle setzen* = sich nicht entscheiden
können und beide Möglichkeiten verpassen; *in der
Tinte sitzen* = in einer schwierigen Lage keinen
Ausweg finden; *hinter schwedischen Gardinen sitzen*
= hinter Gittern sitzen, im Gefängnis sein.

9 **b.** *eisig* ist von Eis, nicht von Eisen abgeleitet = kalt
wie Eis; *eisern, hölzern, gläsern, seiden* = aus Eisen,
Holz, Glas, Seide; *holzig, silbrig, seidig, glasig* = wie
Holz (der Spargel ist holzig), Silber (die silbrigen
Wellen), Seide (seidiger Glanz), Glas (glasige Augen =
leblose, starre Augen).

10 **e.** *verneinen* = mit nein antworten; etwas *versagen* =
nicht gewähren: die Erlaubnis versagen = es nicht
erlauben; etwas *leugnen* = behaupten, daß es nicht
wahr ist; etwas *negieren* = verneinen, sagen, daß es
nicht wahr ist.

11 **a.** der *Speicher* (-) = Vorratsraum, -lager; der *Radius
(-ien)* der halbe Durchmesser eines Kreises (vom
Mittelpunkt bis zum Kreisrand); der *Radiator (-en)* =
Heizkörper; e gibt es nicht.

12 **e**

13 **a.** einen *Beitrag* (¨e) zahlt man als Mitglied einer
Partei oder eines Vereins; *Steuern* müssen alle Bürger
eines Staates zahlen; *Miete* zahlt man für eine
Wohnung; eine Spende gibt man freiwillig für einen
guten Zweck; *Gebühren* zahlt man für Leistungen
einer Behörde.

14 **e.** *abschließen* = 1. ein Studium, eine Lehre/
Ausbildung mit Erfolg beenden, 2. eine Tür mit einem
Schlüssel verschließen; *enden* (intransitiv): Die
Geschichte endet traurig. Das Spiel endete
unentschieden; *abfertigen* = Kunden in Büros, bei der
Post, der Bahn bedienen; *schließen* oder *zumachen*
kann man Türen, Fenster, Bücher, Hefte.

15 **d.** *hoch und heilig versprechen* = ganz fest
versprechen.

Test 15

1 **a.** der *Leuchter* (-) = Halter für kleine Lampen oder
Kerzen;
arm wie eine Kirchenmaus = sehr arm, wie eine Maus
in der Kirche, wo sie nichts Eßbares findet; der
Kirchgänger = jemand, der (regelmäßig) zur Kirche
geht; das *Kirchenschiff* = mittlerer Längsteil einer
Kirche (das Mittelschiff).

2 **b.** *Eisbein* = gepökeltes und gekochtes Schweine-
bein, wird mit Sauerkraut gegessen; *Eisbeine* haben =
kalte Füße haben; *Rauhreif* = winzige Eiskristalle, die
einen weißen, glitzernden Überzug an Bäumen,
Dächern usw. bilden; *Eisblumen* = pflanzenartige
Muster aus Eiskristallen auf den Fensterscheiben.

der *Eiszapfen* (-)

3 **d.** Richtig: Der Hund *holte* den Stock *wieder*.
wieder'holen = noch einmal tun ist untrennbar
(wiederholte); *'wiederholen* = zurückholen ist
trennbar (holte wieder).

4 **d.** der (graue oder grüne) *Star* = Augenkrankheiten,
die eine zunehmende Schwächung des Sehvermö-
gens zur Folge haben.

5 **e.** die (letzte) *Ruhestätte* = das Grab; die *Stillzeit* =
Zeit, in der eine Mutter ihr Kind stillt, d. h. ihm ihre
eigene Milch gibt; die *Ruhezeit* = Zeit zum Ausruhen;
das *Stilleben* = Gemälde, auf dem leblose
Gegenstände dargestellt sind (Blumen, Früchte und
ähnliches).

6 **b.** die *Steppdecke* (-n)

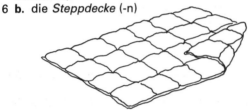

die *Schneedecke* = Schnee, der die Landschaft
bedeckt; die *Balkendecke* = *Zimmerdecke* aus
Holzbalken; die *Wolkendecke* = dichte Wolken, die
den Himmel gleichmäßig bedecken.

7 **e.** gut *aufgelegt* = guter Laune; *eingelegt* werden
Obst und Gemüse, d. h. sie werden durch Kochen oder
Einlegen in ein Konservierungsmittel haltbar
gemacht; *abgelegt* werden Dinge, die man nicht mehr
braucht, z. B. alte Kleidungsstücke, die man nicht mehr
trägt; *umgelegt* werden (umgangssprachlich) =
getötet werden; *angelegt* wird Geld, damit es Zinsen
bringt: Er hat sein Geld in Aktien angelegt.

8 **b.** Nach übermäßigem Alkoholgenuß hat man einen
Katzenjammer = man fühlt sich elend.

9 **e**

10 **c.** *Anführungszeichen:* „ . . . ''; *Gedankenstriche:* –
. . . –; a und e sind keine Satzzeichen.

11 **d**

12 **c.** Richtig: *vorbereitet*; wenn ein Verb zwei Vorsilben hat (vor- + be-), dann wird im Perfekt auch bei trennbaren Verben kein -ge- eingeschoben.

13 **e**

14 **d.** die *Düne* (-n) = Sandhügel an der Küste; der *Hügel* (-) = niedrige Bodenerhebung, kleiner Berg; der *Fels* (-en) = Gesteinsmasse; der *Berg* (-e) = hohe Bodenerhebung; die *Klippe* (-n) = Felsen im Meer.

15 **c.** *Mir ist Hören und Sehen vergangen* = ich habe fast die Besinnung verloren. Ein Schreck oder ein schriller, durchdringender Ton *geht durch Mark und Bein*. *Reinen Tisch machen* = etwas endgültig in Ordnung bringen. Es ist *fünf Minuten vor zwölf* = es ist schon fast zu spät, es ist höchste Zeit, etwas zu tun.

Ihr Testergebnis

Test 1 ☐

Test 2 ☐

Test 3 ☐

Test 4 ☐

Test 5 ☐

Test 6 ☐

Test 7 ☐

Test 8 ☐

Test 9 ☐

Test 10 ☐

Test 11 ☐

Test 12 ☐

Test 13 ☐

Test 14 ☐

Test 15 ☐

GESAMT ☐

Wie geht es weiter?

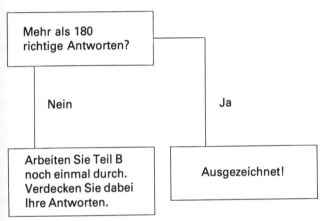

Mehr als 180 richtige Antworten?

Nein

Ja

Arbeiten Sie Teil B noch einmal durch. Verdecken Sie dabei Ihre Antworten.

Ausgezeichnet!